平和の杜の教え

続々 壹日壹進

（一日一進）

高原玄承 著

アスパラ社

この書を、将来の継続を期待して、息子一家に捧ぐ

まえがき

江戸時代の国学者塙保己一《はなわほきいち》は、盲目でありながら生涯掛けて、膨大な古今の古書を蒐集《しゅうしゅう》し校訂し板行した。偶々《たまたま》彼の業績を顕彰《けんしょう》する「温故学会」の記念館が私の母校、國學院大學のすぐ近くにあり、その一室に下宿していた先輩を訪れる度に、そこに所蔵されていた夥《おびただ》しい数の版木を目にして、彼の偉大さを痛感したものだった。何しろ一方で、盲人社会を束ねる総検校の地位に昇る程職務も全うしながら、自身も数々の著書を著す中で、編纂《へんさん》事業を成し遂げたのである。中でも『群書類従』数百冊は、後世の国史国文の研究には欠かせない貴重なものであるが、その功績故に彼の没後もその志を継いだ者達に依って、『続群書類従』『続々群書類従』が刊行されたのである。

さて、私の『一日一進』もそれら書物に比べれば毛程のものに過ぎないが、それでも正、続と重ねてくると彼《か》の塙保己一先生に倣《なら》い、というより慕う余り、身の程知らずにも『続々……』を出したくなったのである。幸か不幸か続編以降多少の書き溜めたものもあったからだが、それでも「平和の杜の教え」とある以上、もう少しそれらしいものを書き残したいとの思いもあったのである。

ところでこの「平和の杜」は、何も新しい宗教団体でもなければ、宗教思想でもなく、敢《あ》えて言えば、宗教運動のようなものである。それも、余りに多岐に亘り判り難《にく》い神道思想を、より平易により広範に理解して貰い、できればこれをキッカケに人々に信仰の心を培《つちか》い、日々その生活の中で「祈り」を実践をして貰えたら、の思いで世に問うたものであった。

が結果は、何ら運動らしきうねりも起こらず、強いて言えば多少の読者を得たに過ぎなかったが、それでもお世辞にも「祈りの大切さが判りました」などと言われると、それだけで自己満足はするものの、真の目的を達した訳ではないと思うとやはり不満が残る。より広くより深く理解され実践されてこそ、この手の運動は存在の意味があるからである。

そこで振り返って反省すると、何しろ「正も続も」断片的な文の寄せ集めであって、そこには体系的なものが殆《ほとん》ど無い。要は単に心情的感情的なものが羅列してあるだけで、それでは人の心を動かす信仰の書には成り難《がた》い。せめてもう少し体系的、かつ理論的根拠を持ったものを示さなければ、本来の目的を達成する事はできない。ならばもう一度挑戦しよう…、そんな思いもあって、「続々」に挑んだのである。

だが所詮知力筆力に限りある身には、やはり同じパターンの繰り返しで、結局は二番煎じならぬ三番煎じに終わってしまった。イヤむしろ、文自体が長くなり簡潔さに欠ける嫌いもある。元々この手の文は簡単明瞭が良く、それ故に読者に想像力を引き起こし、より創造性を増すものなのに、長きは読むだけで納得し、それで事足れりとしてしまう恐れがあるのにだ…。

ただ、それはそれとして、人には限界というものがあり、取り分け私は、「体系的」「理論的」にものを言うのが何よりの苦手である。それは結局頭の悪い証拠だが、ただ敢えて言うと、言説は体系化し理論化した途端柔軟性を失い、読者にそれ以上のものを生み出さない嫌いがある。それは「不完全は、次なるものを生み出すが、完全はそれで終わる」の言葉通りかもしれない。がしかしそれはやはり単なる言い訳で、本当は「老齢・老化」という立派な原因があるからである。幾《いく》ら頑張っても、「年には勝てない」のである。どうかこの点を考慮し、是非とも大目に見て貰いたいのである。

できればむしろ、この書を「ゾクゾク」する期待で読んで貰いたいのだが、それは所詮無理で、心底恐れているのは「何ーんだ、続々と重ねる意味は、何処にも無いぞ」と言われる事である。今はその恐ろしさに、背筋がゾクゾクならぬ、ゾーッとしている処であるが、今となってはもう遅い。ただただ、そうならぬよう祈るばかりである…。

とは言いつつも、この続々は正続と違い、目はショボショボ頭はクラクラの状態、まさに老骨にムチ打って書いたものだけに、ことさら愛《いと》おしい。だからこそ、読んで下さる方にはその旨ご理解頂き、日々寛容なお心で読んで頂ければ、大いに幸《さいわ》いなのである。

平和の杜の教え　続々 一日一進　目次

表紙と扉の題字は、崇敬者望月雅郎氏の篆書。
挿絵は、神社関係者村松薫氏のスケッチ。

平和の杜とは

杜とは、神々が天下り給い、人々がその御光を仰ぎ慕いて、寄り来る処である。

平和とは、清浄にして慈愛に満ちた世界のことであり、そこで初めて、神と人とは出会い交わるのである。

平和の杜はこの地上の何処にでも、人の心の中にさえ、創り出そうとすれば現れ出る。

誰もが平和の杜となり、到る処が平和の杜となれば、全世界が平和の杜と化す。

それはそのまま神の御心であり、人が生涯かけて、目指し努める処のものである。

Kaoru.

一月一日

一年の敬〈計？〉は元旦にあり。

先《ま》ずは神々に、次いでご先祖に、次いで身近で大いにお世話になっている方に敬意を…。

全ては、敬意から始まる。

佳き年も、先ずは他への敬意から。

一月二日

新時代が来る。

それは、希望と活動に満ちた年から始まる。

先《ま》ずは、自分の最も望むものに、全力を尽《つ》くそう。

最も苦手なものにも、全力を尽くそう。
きっと成就《じょうじゅ》する。きっと佳い年になる。
新時代も、そこから始まる。

一月三日

年新《あら》たまれば、
人の心も新たまり、人の心も強くなる。
「今年もまた、佳き年を！」
そんな思いを、強く強く持ち続けよう。

一月四日

今年こそ、〇〇を成し遂げよう、そう思う事が大切。
例えそれが叶《かな》わない侭《まま》年の末を迎えようとも、先《ま》ずはそう思う、そう念じよう。
思い描くは、実現への第一歩、次への原動力。

一月五日

この身に新年が来てくれた、
先《ま》ずはその事に感謝。
今年も苦しい事はあるだろう、辛《つら》い事もあるだろう。
だが、生きている事の有り難さ、尊さを思えば耐えられる。
きっと佳い年になるだろう。

一月六日

松の内。何と良い言葉だろう。
その間《かん》、年神様《としがみ》と共に日々を送る。
その間、大きな恵《めぐ》みを頂く。
そして感謝と共に、年神様を送る。
松の内が、感謝で終わる…。

一月七日

貴方は優しい。優しさは尊い。
優しさは人の心を温《あたた》め、豊《ゆた》かにし、生きる力を与える。
ただ、それは傷付き易く、壊《こわ》れ易い。
だから、日々祈る心を持ち、日々祈りの行《ぎょう》を重ねて欲しい。
自分の事でも、人の事でも、国や社会や、地球や宇宙の事でも良い。
先《ま》ずは祈る事。それは皆、繋《つな》がっているからだ。
祈りが広くなり強くなれば、優しさも広くなり、強くなる。
貴方には、そんな優しい人になって欲しい。

一月八日

松竹梅が、尊ばれる。
松は、寒風に強く、
竹は、根茎《こんけい》が逞《たくま》しく、
梅は、寒冷にも、花を咲かす。
何事も厳《きび》しさに耐えてこそ、人に尊ばれる。

一月九日

寒い時こそ、
温《あたた》かい言葉を自分に掛けよう。
自分が温かくなったら、今度は人に…。
きっと世の中全体が、温かくなる。

一月十日

寒い時こそ、部屋の整理をしよう。
寒い時こそ、心の整理をしよう。
それには先《ま》ず、心に溜《た》まった、数々の思いを、「棚卸《たなおろ》し」しよう。
多分、もう捨てて良いものがある筈《はず》だ。

一月十一日

人の最大の喜びは、他人に認められる事。
その為には先《ま》ず、他人の存在を認めよう。
その重みを知り、その力を知れば、その価値が判ってくる。
すると自分の重みも、力も判り、価値も判る。
その時、他人は自分を認めてくれる。

一月十二日

悟《さと》りとは簡単に言えば、
何事にも、怒らない事だ。
それも、無理なく怒らなくなる事だ。

一月十三日

悟《さと》りに近付くには、
今の貴方の考えが、全て絶対、と思わない事である。
この世の全ては相対。考えは色々。
その一つ一つに、意味と価値がある。
それを知れば、貴方の考えが定まる。
それが悟りである。

一月十四日

悟《さと》りには、自分の中に、もう一人の自分を持ち、何時《いつ》も二人で意見を述べ合う事が必要。

そして、一方が他方を理解した時、悟りが始まる。それを日々積み重ねる。

すると、何時か、真の悟りがやって来る。

一月十五日

悟《さと》りとは、完璧《かんぺき》に、一切全て悟った状態になる事ではない。
日々「悟るとは何か」「悟った状態とは何か」を考え、日々、その状態に近付く事を目指すのである。
それは、この世を楽に生きる為でもあるが、
本当は、あの世に行ってから、大いに役立つ為だからである。

一月十六日

人には、全く気にならない事と、とても気になる事とがある。例えば、挨拶《あいさつ》してくれない、お礼を言ってくれない…等々。が悟りとは、それが気にならなくなる事。それには先ず《ま》、気にならないよう祈る事。次いで、何故それに拘《こだわ》るかを考え、その理由を挙《あ》げ、その一つ一つを、もう一人の自分が同調し、また反論し、時には新しい考えを提案する。するとと何時《いつ》しか、それらが余り気にならなくなる。それが悟《さと》り、である。

一月十七日

一人の人間は、男であれ女であれ、
見た程、単純でも明快《めいかい》でもなく、想像以上に複雑怪奇《ふくざつかいき》なものである。
だから、心して接しなければならない。関係が深ければ深い程…。
常にその一言、その態度に、その人の思いを読み取る癖が付くと、自然に、
深い洞察力《どうさつりょく》が付いて来る。
その力こそ、人間関係をより深く、より実りあるものにする、力なのである。

一月十八日

体の全ては、脳に依って動いている。
が、その脳は、かなりの部分、心によって動かされている。だから何より、
心のあり方が大切。

心、この不思議にして力有るものを日々磨《みが》き、日々柔軟《じゅうなん》にしていきたい。
それが人生を、より良く生きるコツ…。

一月十九日

人間、思い通りにならないとすぐ反発し、
思い通りになっている人を見ると、すぐ嫉妬《しっと》する。それで自分を見失い、
同時に人を見誤《みあやま》る。
だが逆に、思い通りになると、すぐ驕慢《きょうまん》になり、人を見下《みくだ》す。それで自分
の価値を落とし、人からの力を貰えなくなる。
これを避《さ》けるには、日々祈り、何故思い通りにならないかを問い続ける事
が必要。
すると何かのキッカケで、思い通りになっている人の言葉を聞く事になる。
それは結局、「謙虚《けんきょ》の心」が元に有る事を知らされる…。

一月二十日

その人にどんなに力が有ろうとも、どんな高い立場にあろうとも、恐れる必要は無い。

その力や立場は一面的・相対的・限定的なものであり、全面的・絶対的・永久的なものではないからである。

ただその人が、自分の目指す道の先人であり、指導者、教導者であるならば、敬意を以て接しなければならない。がそれでも、過度《かど》の依存献身《いそんけんしん》、敬意敬服《けいいけいふく》は良くない。

何処《どこ》までも、自分は自分であり、自分には、元々大きな力が有るからである。

一月二十一日

人と人との関係は、元々長続きしない。ある日突然別れは来る。あの愛の交歓《こうかん》、あの助け合い、あの思いやりは何だったのだ…、そう思う時が必ず来る。何十年連れ添った夫婦でも、親子でも友人でも、それは避《さ》けられない。

あれは奇跡《きせき》だったのだ…。

だから今はもう、喧嘩《けんか》しいてる場合でも、啀《いが》み合っている場合でもない。

嫌でも別れる時は来るからだ。

だからこそ、今の関係を大切にしよう、じっくり味わいながら…。

一月二十二日

人と人との関係は、好ましいものと、そうでないものとある。
嫌な関係は一日も早く絶ちたい、別れたい。
がそう思う程《ほど》、断ち切れない事が多い。
それには「何故縁切《えんき》りができないか」を考えたい。
一つには、相手の思いが強過ぎる？
二つには、案外自分が引き寄せている？
三つには、これは過去世の因縁《いんねん》？ 等々…。
きっと何かが見えてくる。先《ま》ずは「敬《けい》して遠ざかる」から始め、少し時間
を掛けて、更に「敬して遠ざかる」を続けていこう。
必ず、良き縁《えにし》は一層《いっそう》深まり、悪しき縁は、去って行く。

一月二十三日

厳《きび》しさは、正しさでもあるが、時には、「酷《ひど》さ」にもなり得る。優しさは、大らかさでもあるが、時には、「甘さ」にもなり得る。時には厳しく、時には優しく…。

一月二十四日

我儘《わがまま》が過ぎると、嗜《たしな》みを失《な》くし、嗜みが過ぎると、大らかさを失くす。嗜みもあり、大らかさもある人は、悟《さと》りの人である。その上「小事」を軽く見ず「大事」に慌《あわ》てず、「小事」に細心、「大事」に大胆な人こそ、更なる悟りの人である。

一月二十五日

大きな問題、例えば環境問題、地域の紛争、貧困問題、食糧問題等々…。それらを声高に警告《けいこく》する人も、同調して行動を起こす人も居る。が胸を痛めても、どうせ何もできないと諦《あきら》める人も居る。

一体自分には何ができるか、そう思えば思う程、無力《むりょく》を痛感《つうかん》するが、それでもせめて何か始めたい。

それには先《ま》ず祈る、祈りは改革改善の第一歩。次に思いを寄せ微力《びりょく》を尽《つ》くす、それが第二歩。更に同じ志《こころざし》の人と連帯《れんたい》する、それが第三歩…？

道は遠いが、兎《と》も角《かく》歩みを起こそう。

一月二十六日

和《わ》を以《も》て貴《とうと》しと為《な》し、邪《じゃ》を以て、不和《ふわ》の元と為す。
和を以て貴しと為し、不和を以て、争乱の元と為す。
和を以て貴しと為し、許《ゆるし》を以て、和の元と為す。

一月二十七日

社会保障が薄い、年金が足りない、給料が少ない…、と訴える人は多い。
が、例え僅《わず》かでも、それを手にできる事を感謝する人は、少ない。
人の豊かさは、先《ま》ずは心の豊かさから。
それは感謝の心から始まる。
その心で、物の豊かさを求めたい…。

一月二十八日

体の痛みは、何かのメッセージ。
耳を傾《かたむ》け、受け入れよう。
必ず何かの忠告《ちゅうこく》、改善の為の助言《じょげん》がある。
痛みに耐えながら、何とか聞き取ろう。

一月二十九日

人に愛されると、
人の心は、豊かになる。
人を愛すると、
人の心は、もっと豊かになる。

一月三十日

人は他人を、自分と同程度、またはそれ以下と見做《みな》したくなるもの。
が、それは大間違い。
それでは何も学べない、得られない。
他人は間違いなく、自分より高く、価値有る存在なのだ。

一月三十一日

愚《おろ》かなる者は、自《みずか》ら幸運を逃《のが》す。
何より、側に居てくれる人の価値を軽《かろ》んじ、粗末《そまつ》にする。
最も愚かなる者は、
わざわざその人を、自ら捨てる。

Kaoru.

二月一日

寒い中にも、熱い心。
冷たい風にも、温《あたた》かい言葉。
きっと回りが熱くなり、温かくなる。
心と言葉は、大きなエネルギー。
発電所以上の火力、電力を生《う》む。
この世は、何より人の心で動いていく。

二月二日

若い時は、我が力を最大限に。老いたら、最小限に。
元気な時は、我が動きを最大限に。弱った時は最小限に。
頑張《がんば》ったり、休んだり、
それが、より良く生きる人生のコツ。

二月三日

鬼あっての節分。怖《こわ》い人にも、大きな役目。
豆あっての節分。小さな物にも、大きな働き。

鬼遣《や》らい。
先《ま》ずは弱鬼、逃げ鬼を…。

きっと、「自信」の金棒が来る。
豆の力で福招《ふくまね》き、「忠実《まめ》」な仲間が寄って来る。

二月四日

立春大吉。
昔の人は何より春を待ち望んだ。
寒さから逃《のが》れる為、というより、
農作業に着手できる喜びを得る為。
日本人は何んと働き者だったのだろう。
今の栄《さか》えは、皆その人達のお陰。
感謝、感謝…。
農は、どんなに時代が進もうが、「国の基《もとい》なり」である。

二月五日

挨拶《あいさつ》の言葉は、
人間関係の基本。
お礼の言葉は、
人間関係発展の原動力。

二月六日

幸《しあわ》せそうに見える家庭にも、
実は、色々な苦労が有る。
その苦労に負けず、一つ一つを解決していく。
それが人生。
きっと本当の幸せが来るだろう。

二月七日

人からの褒《ほ》め言葉には、素直に感謝の言葉を返そう。
黙っていては、驕《おご》りと取られる。
そしてすぐに相手の優《すぐ》れていると思う処《ところ》を褒めよう。
それが、大人の会話というものである。

二月八日

人から、批判《ひはん》されたら、即座にそれを復唱《ふくしょう》して見せよう。そして感謝の言葉を返そう。
それが、大人の会話というものである。
しかし、それが数日して消えてしまうなら、その批判は忘れてしまおう。
が、もし心に残っていたら、それこそ正当な批判として、心に留《とど》めよう。

二月九日

批判《ひはん》と非難《ひなん》は違う。

批判とは、冷静中立の立場での意見であり、非難とは、やや感情の入った、やや偏《かたよ》った立場からの意見である。

がどちらも、相手が受け入れない場合は、殆《ほとん》ど無意味か、誹謗中傷《ひぼうちゅうしょう》に近いものになる。

それを避《さ》けるには、それが、相手の為になり、力となり得るものかを常に心に問いつつ、発しなければならない。

さもないと、単なる悪意と取られるだけでなく、互いに大きな損失《そんしつ》となる。

二月十日

何事も、自分の思い通りにならないは、この世の常。
それでも、思い通りにしようとするも、この世の常である。
何処《どこ》で折《お》れ合《あ》うか。
それが、人の価値を決める。
折れ合ってこそ初めて、
真の「思い通り」が果たされる。

二月十一日

何時《いつ》の日か、この世に国というものは無くなるかも…。それがこの世の完成された姿かも…。

しかし人がそこに生まれ、そこに育ち、親が居《い》、先祖が居、同じ言葉を話す人々が居る限り、国は無くならないかも…。

だとしたら、今はそれを大切にし、守っていくより他は無い。

鳥や魚にも色んな種類が有るように、この世に色んな人種、色んな国が有って良いだろう。それが自然というもの。

ただそこには、生存競争が避《さ》けられない。皆生きていかなければならないからだ。

ただ人間同士の殺し合い、国と国との戦争だけは絶対止《よ》そう。

さもないと、国は無くならず、地球は一つにならない。

二月十二日

男の勇気とは、
陰口でなく、酒の力を借りず、
大勢の前で、己《おの》れの意見を述べる事である。
そして、例え口半分《くちはんぶん》でも、実行する事である。

二月十三日

女の勇気とは、
愛する者に、命を掛ける事である。

二月十四日

大きな不幸は、ある日突然来る。

余りに不意に、余りに唐突《とうとつ》に…。

しかしそれは、本当は不幸でないかもしれない。何か大きな教えと、これから先訪れ来る、大きな幸《しあわ》せのキッカケかもしれない。

そう、それは今は判らない。だが、必ず判る時が来る。そう、必ず…。

だがその為には、その不幸と思われるものを、
必死に、真剣に、乗り越えて行かなければならない。

二月十五日

「老い」の、最も困るのは、
すぐ忘れてしまう事であり、
最も助かるのは、
すぐ忘れてしまう事である。

二月十六日

「若さ」の、最も困るのは、
すぐ迷《まよ》い、悩《なや》む事であり、
最も助かるのは、
すぐ実行できる事である。

二月十七日

喧嘩《けんか》は、結局は良い結果を齎《もたら》さない。最後は、殺し合いになる。

そこまで行かずとも、必ず大きな傷を残す。

だが、売られた喧嘩は、買わねばならない時もある。

そこを何とか耐え、時には詫《わ》び、時には諭《さと》し、最後は許して、終わりにするしかない。

さもないと、最後は罵《ののし》り合い、傷付け合い、殺し合いになるからである。

それを避《さ》けるには、先《ま》ずは売られた喧嘩は買わない、増して売らない、と常に、心に刻《きざ》んでおくより他は無い。

二月十八日

何か一つを得ると、必ず何か一つを失う。

例えば、一つの物を買えば、金が減る。
愛する伴侶《はんりょ》を得れば、独身の自由を失う、等々…。
それは、この世の原理《げんり》、避《さ》けられない法則《ほうそく》。
だから、得たものは大切にしよう。
同時に、失ったものへの、感謝の心を忘れまい。

二月十九日

あの世では、
得る事よりも、失《うしな》う事が修行らしい。
失う事は、清まる事。失えば失う程、清まるらしい。
魂《たましい》は、清まれば清まる程、神に近付く。
だから、この世でも、失う事を恐れない方が良いらしい。
この世で先に失っておけば、その分、あの世で楽になるらしい。

二月二十日

人から頼まれてする「慈善《じぜん》」は、長続きしない。
増して売名の「慈善」は「偽善《ぎぜん》」になり易い。
真の「慈善」とは、心の奥底から突き上げられてするものであり、
それも常に、これは「最善《さいぜん》」でなく「次善《じぜん》」に過ぎない、と思ってする
べきものである。

二月二十一日

毎朝、感心するは、
ラジオ体操を考え出した人の事。
更に感心するのは、
ラジオで指導する人の、元気な声。

二月二十二日

一つのことを、生涯《しょうがい》やり通す。
それは、天才である。
例えそれが、世間で評価されなくても…。

二月二十三日

天才とは、
天から授かったエネルギーの事。
それは、余り苦しまなくても、
発揮できるエネルギーの事である。
勿論《もちろん》たゆまぬ努力は必要だが…。

二月二十四日

人は常《つね》に迷《まよ》う。
がそれでも常に、前に一歩、進まなければならない。
だが、人には祈りがある。
祈りは迷いを鎮《しず》め和《やわ》らげ、真の一歩を与えてくれる。

二月二十五日

不安の時こそ、祈ろう。
すると、何かのメッセージを得る。
そう、それは天からのメッセージ。
もしそれが、人を傷付けるものでなかったら、
それは、神からのメッセージ。

それはその侭《まま》、貴方の信念となる。
次にそれを、行動に移そう。
きっと、道は開く。

二月二十六日

春が来る。
光の春、音の春、温《ぬく》みの春。
芽吹《めぶ》きの春、花の春、命の春…。
春が来る。
蘇《よみがえ》りの春、祈りの春、感謝の春。

二月二十七日

不幸の種は尽《つ》きない。
聖職者であろうが、教育者であろうが、法律家であろうが、福祉関係者であろうが…。
幾《いく》ら祈っていようが、社会奉仕していようが不幸は襲《おそ》ってくる。それは避《さ》けられない。
ただそれを不幸と思うか、天の励《はげ》ましと思うかで、その後が違ってくる。
今の不幸は、天の励ましと思って欲しい。

二月二十八日

全てを、有《あ》りの侭《まま》に受け入れる。
その人の全てを、有りの侭に受け入れる。

起こり来る全てを、有りの侭に受け入れる。
その時、正しい批判ができる、
正しい前途が見えてくる。
その時、運命が変わる。宿命も変わる。

二月二十九日

若人《わこうど》には、「求めよ、さらば与えられん」
老人には、「求めるな、さらば与えられん」
だが共に、
与えられたものに、感謝の心無くして、
次は与えられない。

Kaoru.

三月一日

春に向かって、一歩一歩。
目標に向かって、一歩一歩。
人生もまた、一歩一歩。

三月二日

無欲になったら、意欲も無くなった、
では困る。
悟《さと》ったら、この世はもうどっちでも良い、
では勿体《もったい》ない。
無欲も悟りも、最後は人の為に、
尽《つ》くしたいものだ。

三月三日

人の存在に貴賤《きせん》はないが、その魂《たましい》には貴賤がある。それぞれ段階がある。
それは、出掛ける夫に声を掛ける、妻の甲州弁で判る。
その第一段階、「あんた、損《そん》しちょし！」
その二、「あんた、関《かか》わっちょし！」
その三、「あんた、恥《はじ》、掻《か》いちょし！」
その四、「あんた、人に、迷惑掛けちょし！」
その五、「あんた、人の為になれし！」
である。
それで、魂の段階が判るのである。

三月四日

蛇口を開けば即《そく》、水が出る。スイッチを回せばすぐ火が点《つ》く。こんな便利《べんり》な生活には驚くばかり、江戸時代の人が見たら卒倒《そくとう》するだろう。だがそれでも人間は更なる便利を求める。何とも貪欲《どんよく》な存在。だがそれが、今の発展と繁栄を招いたのだ。

それは感謝すべき事だが、せめてその時には過去の人々の苦労を偲《しの》びたい。

三月五日

文章は深読《ふかよ》みされてこそ、本物になる。だから文筆家は、深読みされるような文章を書かなくてはならない。

だが言葉は、余り深読みされるものではない。

単純に、率直に、判り易いものでなくてはならない。

人は常に、「裏表《うらおもて》の無い」言葉を…。

三月六日

小さな無視《むし》は、大きな無視へと繋《つな》がり、
それが小さな見落とし、更に大きな見落としへと繋り、遂に大きな失敗へ
と繋がっていく。
小さな無視は、要注意。
小さな無視こそ、大きな失敗の元。

三月七日

人間、朝、目覚《めざ》めれば、
先《ま》ずは、今日を生きていかなければならない。
それには先ず、今日すべき事からするより他は無い。それは苦しく、辛《つら》い
事である。

だがそれは、自分しかできない事でもある。
人生、今日が一番の佳き日、
そう思いつつ、今日を生きて行こう。

三月八日

本当は明日など無いのだ。
あるとしたら、それは奇跡《きせき》、幸運なのだ。
だから、今日に全てを掛けよう。
全てを尽《つ》くそう。

三月九日

元々物には、値段《ねだん》などない。求める人の心が、それを決めているだけである。それが強ければ値段は上がり、弱ければ下がっていく。

がそれでも、物自体の価値は変わらない。物は存在する限り、消えない限り、普遍《ふへん》の価値を持っている。求める人が有ろうが無かろうが、値段が付こうが付くまいが…。だから物作りは、尊い。この世に、一つの価値を作り出すから…。だから、物は大切にしたい。大切に使いたい、活《い》かしたい。

三月十日

人の知り得る事など、僅《わず》かなもの。

何時《いつ》もその事を、忘れてはならない。
知ったかぶりは、何より禁物《きんもつ》。
むしろ殆《ほとん》ど知り得ない、と言っても良い。それが謙虚さ。
神仏への信仰は、そこから始まる。

三月十一日

君のお陰で、今日の我がある。
穏やかで、安心の日々。
これこそ、やっと得た「平安」。
その大きな基《もと》は、君の存在だ。
ありがとう。
と、人には必ず、そう言える人が居るものだ。
その事を、ずっと忘れずにいたい。

三月十二日

己《おの》れにのみ、求めよ。
他者には、求めるな、
さらば、与えられん。

三月十三日

自分の不安を人に訴《うった》え、安心する人が居る。それは、聞いてやらねばならぬ。
強《つよ》がりを言って、安心する人が居る。
それも、聞いてやらねばならぬ。
自分もまた、人にそうしているのだから…。

三月十四日

「老い」は、誰に教えられなくても、生きてさえいれば、「老い」になれる。
誰もが、間違いなく「爺・婆」になれる。
それは公平平等、誰も避《さ》けられないが、有り難い事でもある。
それは、「良くここまで生きた」の証《あかし》だが、それでも「嗚呼《ああ》、老いた…」
の思いは重くのしかかる…。
皆で、思い遣《や》ってやろう。

三月十五日

幾《いく》ら、老いの苦しみを訴《うった》えても、若者は、煩《うるさ》がるだけ。
同じ老人に訴えてもまた、「俺だって」、と逆に訴えられるだけ。
それは寂しい事だが、致《いた》し方ない。
老いは元々孤独。人に好かれるものではない。
がそれでも人は、日々老いていく……。
誰もが通る道。
だから聞いてやろう。慰《なぐさ》めてやろう。

三月十六日

春に近付く日々は、何にも増して嬉しい。
そんな気持ちで、春を迎え、味わおう。

そんな気持ちで、新たなものに近付き味わおう。

三月十七日

あの世について、有るとか無いとか、こんなものだとか、見てきたように言う人が居るが、それは参考に留《とど》めよう。

その人の個人的見解が多いから…。

何しろこの世ですら、こんなものだ、と簡単に言えない程、複雑で難解《なんかい》。

だから、あの世はもっと、神秘《しんぴ》で不可解《ふかかい》なもの…？

ただ先人の言葉を総合《そうごう》すると、
どうもあの世は、案外《あんがい》良い所らしい…？

三月十八日

あの世を簡単に説く宗教家は、
余り信用したくない。
これは神の言葉だと、簡単に説く宗教家も、余り信用したくない。
人の見ていない処《ところ》で、日々真剣に、日々黙々と祈り続ける宗教家を、
私は信用したい。

三月十九日

老いて忘れていく事も、
一つの「祓《はら》え」である。
寿命尽《つ》き、この世を去る事も、
大きな「祓え」である。

何故ならそれで、この世での色々な思いが消えていくから…。

三月二十日

幼い頃の苦しみ、悲しみが、
老いと共に、突然姿を現す事がある。
それも、大分違った形で、我が身、我が心を襲《おそ》って来る。
その時は先《ま》ず、幼い頃の我に返り、その時の自分に労《いたわ》りの言葉を掛けよう。
あの時は苦しかったね、大変だったね、と。
そして今、
その苦しみ悲しみにある幼《おさな》い人たちに、心を寄せ、手を差し伸べよう。
きっと、今の自分の苦しみ、悲しみは、
静かに去って行くだろう。

三月二十一日

学校に通《かよ》う、若き人たちよ。
毎朝起き、身支度をし、学びの道具を持って出掛けるは、さぞかし大変だろう。
でも、一歩踏み出そう。
途中で引き返す事もあるだろう。もうダメだと、諦《あきら》める事もあるだろう。
でも、例え一歩でも前に進もう。
その一歩は、大きな一歩。
きっと君たちの、大きな自信になるだろう。

三月二十二日

人生学校？　に通《かよ》う、老《お》いし人たちよ。

毎朝起き、身支度をし、老骨《ろうこつ》に鞭《むち》打ち出掛けるは、さぞかし大変だろう。
でも、一歩退こう。そして、できるだけ思いを捨てよう。
取り分け怒りを…できれば色々な欲も…。
しかし、目標は捨ててはならない。例えそれが、小さな目標でも。
例え、人に笑われる目標でも…。

三月二十三日

仕事学校？　に通《かよ》う、今盛《さか》りの人たちよ。
毎朝起き、身支度をし、仕事道具を持って出掛けるは、さぞかし大変だろう。
だが今の今こそ、君たちの旬《しゅん》なのだ。
それが再び来るとは限らない。だから、歯を食いしばり、頑張《がんば》ってくれ。
ただ、ひと時の、貴重な休みは必ず忘れずに…。

三月二十四日

一つの考えを世に出せば、必ず批判が起こる。一つの文章を活字にすれば必ず批判が起こる。一人の人がそこに姿を現せば必ず批判が起こる。それが、世の中というものだ。

が、それを恐れてはならない。

取るべきものは取り、受け入れるものは受け入れた後《あと》は、ひとまず目を瞑《つむ》り、心の何処《どこ》かへ仕舞《しま》っておこう。

その内、聞くべき批判は発酵《はっこう》して、美味しいお酒となるだろう。それをゆっくり味わえば良いのだ。残りは酢《す》になって、また別の調味料になるだろう。貴重な、人生の調味料として…。

三月二十五日

人生、逃げてはいけない。

逃げれば逃げる程《ほど》、相手は更に強く更に激しく追い掛けて来る。苦しいだろうが、ここで踏ん張《ふば》る他は無い。

だが、一つだけ逃げて良いものがある。

それは、暴力。

暴力には意義も意味も、価値もない。

だから、その時は一気《いっき》に逃げるが勝《かち》。

三月二十六日

不合格だった君たち、悲しむ事はない。
自分を責めてはいけない。問題は、次に何をするかだ。
目標を変える事も良い。変えないで、再挑戦《さいちょうせん》も良い。
ただ、一つだけ反省しよう。
自分にとって一番、痛い処《ところ》の反省を。

三月二十七日

今彼は、生きる事に精一杯。だから、大目に見てやろう。
今彼女は、日々の生活に目一杯。だから優しい目で見てやろう。
きっと何時《いつ》か、彼にも彼女にも、豊かで穏《おだ》やかな日々が来るだろう。
それまで、じっと待ってやろう。

三月二十八日

人の顔には、美人も不美人も、美男子も醜男《ぶおとこ》もない。
皆それぞれ、味があり、変化があって面白い。
輝《かがや》いていれば、もっと美しい。

三月二十九日

人は、どうせ何時《いつ》かはこの世を去り、すぐに忘れられる。
が、それで良いのだ。
だからこそ今、我が力を使い、我が思いを発揮《はっき》するのだ。

三月三十日

人は危機に直面すれば、
自《おの》ずと、我が身を守り、我が家族を守り、我が国を守ろうとする。
それは理屈でも、主義でも、感情でもない。
肉体の奥底にある生きる力が、瞬時《しゅんじ》に目覚《めざ》め、発揮《はっき》するのだ。
その時人は、命を掛ける。そこに善悪はない。
他人が、とやかく言えるものでもない。
それが我が身に起これば、もっと判る。

三月三十一日

一日を終えて床に着き、
「嗚呼《ああ》、今日一日生きる事ができた」と手を合わす。
朝、目覚《めざ》めて光を感じ、
「嗚呼、今日一日生きられそうだ」と手を合わす。
全ては一日の尊さ、有り難さ、それが人生。

Kaoru.

四月一日

四月は、道開く月。
それには、
天の導《みちび》き、地の恵《めぐ》み、人の助けが必要。
先《ま》ずは祈りと感謝を。

四月二日

人にはそれぞれ病《やまい》が有る。
体にか、心にか、頭にか、魂《たましい》にか…。
勿論《もちろん》この自分にも有る。
だからこそ、他人の病にも、
寛《ひろ》く心を掛け、許し、その快癒《かいゆ》を祈りたい。

四月三日

一つの道に秀《ひい》でる事は大切だが、
できるだけ多くの面で並《なみ》である事が、もっと大切。
それが、円満《えんまん》、という事である。
人生は先《ま》ずは何事にも、円満である事が望ましい。

四月四日

人生にとって「学歴」は左程《さほど》大切でないが、「学力」は大切である。
同様に、「美貌《びぼう》」は左程大切でないが、「人望《じんぼう》」は大切である。

四月五日

春が来た♪　老いも来た♪　遂に来た♪
顔に来た♪　足に来た♪　目にも来た♪

何時《いつ》かその内には来るだろう、とは思っていたが、こうも突然、こうもハッキリ、こうも容赦《ようしゃ》なく来るとは思っていなかった。
若者よ、何時か必ずこんな時が来る。何事も、早め早めに！

四月六日

神さんとは、きっと、
多くの失意《しつい》を、重ねてきた存在だろう。
さもないと、人の苦しみ悲しみなど、理解して貰《もら》えないだろう。
判ってくれるからこそ、人は祈るのだ。

四月七日

神さんはきっと、
超多忙《ちょうたぼう》な存在だろう。
多くの人の願いを聞き、多くの実現の為、できる限りの力を、尽《つ》くしてくれているのだから…。

四月八日

仕事は、義務《ぎむ》と思えば、苦しい。
楽しい、と思えば何とかできる。
それもこれも、世の為人の為。
これを成し遂げれば、きっとご先祖も喜び、神様も褒《ほ》めてくれる。最後は、
自分の為になる、と思いつつ、仕事に向き合おう。
そして、やり終えたら、自分の両肩を抱き締めてやろう。よく頑張《がんば》った、と。
きっと明日への力が湧《わ》き出るだろう。

四月九日

誰にも、怒りの爆発《ばくはつ》がある。

それが同時に相手にも起こった時、衝突《しょうとつ》が起こり、最後は殺し合いになる。

何処《どこ》かで止《と》めなければならない。

それを相手に求めず、自分から止めたい。

それには、日々の修行しかない。そう、瞬時《しゅんじ》に「怒りに克《か》つ」修行…。

それは日々の祈りに始まるが、時には人の居ない所で、絶叫《ぜっきょう》すると良い。

「負《ま》けんぞー、因縁《いんねん》には負けんぞー！」

「乗《の》らんぞー、因縁の挑発《ちょうはつ》には乗らんぞー！」

「引《ひ》かんぞー、因縁の逆襲《ぎゃくしゅう》には引かんぞー！」

と叫ぶ事だ。何故なら怒りの大半は、因縁からの挑発、因縁からの逆襲だからだ。

決して負けない、決して乗らない、決して引かない、と言い聞かせる事だ。

きっと怒りは鎮まっていく。

そしてその直後に、もう一度深く祈りたい…。

そんな積み重ねが、何時《いつ》か怒りの爆発を未然《みぜん》に防《ふせ》ぐ…。

四月十日

怒りに克《か》つ修行とは、できない我慢《がまん》を敢《あ》えてする訓練《くんれん》。それを続けると、鍛錬《たんれん》となる。

がそれでも、怒りに克つのは至難《しなん》の業《わざ》。

確かに時には怒りが、一つのエネルギーとも、難局《なんきょく》の突破口《とっぱこう》ともなり得る。

が結局怒りは本物の解決にはならない。怒りは次の怒りを呼び、最後は暴力になるからだ。

先《ま》ずは、「咄嗟《とっさ》の我慢」。

息を止め、目を瞑《つむ》り、大きく息を吐《は》く事である。

四月十一日

神さんなんて、居ない。だって、俺の願いを叶えてくれなかった。
そう思う人も居るだろう。
が、神さんは敢《あ》えて叶えさせない時もある。
それが、神さんの怖《こわ》い処《ところ》。
がある日突然、思いもしない時に、大きな助けをしてくれる。
それが、神さんの、有り難い処。

四月十二日

一旦、意見や文章を世に出したら、批判は避《さ》けられない。が、それには耳を傾けたい。
すると何かが残る、心に響く何かが…。

それを素直に取り込もう。するとそこから、自分の意見や文章は柔軟《じゅうなん》になり、強固《きょうこ》になっていく。

だから批判は、有り難い事だが、聞くのは辛《つら》い。

だがそれを続けていくと、自分の人への批判が自然に、より正確により深くなっていっている事に気付くのである。

四月十三日

プロたちよ、素人《しろうと》をナメるな。

男たちよ、女をナメるな。

女たちよ、男をナメるな。

大人たちよ、子供をナメるな。

子供たちよ、日々の恵《めぐ》みをナメるな。

四月十四日

神さんを、操《あやつ》れると思ったら大間違い。

神さんは、願いさえすれば思い通りになる、と思ったら大間違い。

あくまでも、日々祈りを続け、ひたすら謙虚《けんきょ》に願いを掛け続け、仮にその結果がダメでも有り難く受け入れる…。

それが、神さんに向かう心掛《こころが》けである。

四月十五日

この世の全ては、天からの一時的な授《さず》かり物。この体も才能も、この土地も住まいも…。

だから、感謝して使わなければならない。

それも、世の為人の為に、活《い》かさなければならない。
借り物だからこそ、その責任は重いのだ。
ただそれ故、何時《いつ》か返さなければならない時が来る。それは突然のことが多い。
だから、その時は慌《あわ》てず、迷わず、
即座《そくざ》にお返しできるよう、心していたい。

四月十六日

人生、修行無くして成長無し。
苦行《くぎょう》無くして、深化《しんか》無し。
深化無くして、成長無し。

四月十七日

一寸の虫にも、五分の主張。

一人の人にも、八分の主張。

いや今は、十分、十五分、二十分の主張。

ちょっと、し過ぎではないか。

四月十八日

人間、失敗の最後は、

「私の不徳の致《いた》す処《ところ》です」

と素直に謝《あやま》る必要がある。

そうでないと、物事は収《おさ》まらない。

ただそうすると、人間一層成長し、大人になる…。

四月十九日

「ありがとう。貴方には、その感謝の言葉しかない」
人には、そう言える人が、必ず一人は居る。
その人が居たから、今の自分が居、今尚《いまなお》その力に支えられてもいる。
そしてこれからも、その力無くして生きてはいけない、そんな人…。
例えもう、この世に居なくなった人でも…。
でも、それでも、ありがとう、
今はもう、その言葉しかない。
そう、それが私にとっての、貴方なのだ。

四月二十日

人の実力は、どうしようもない。幾《いく》ら背伸《せの》びしても、ジタバタしても必ず人に判ってしまう。

しかしそれは恥ずべき事ではない。むしろ今の自分に、どれだけの実力があるかを知るのは大事な事。そこから、実力を付ける旅が始まるからだ。ただ実力は、一度には付かない。日々努力し、日々積み重ねていくより他はない。そして何より大事なのは、他の人の実力を見抜き、その深さを知り、それを謙虚《けんきょ》に真似《まね》ていく事である。

四月二十一日

触《さわ》らぬ神に、祟《たた》りなし。
触らぬ山の神に、祟りなし。

触らぬ短気者に、祟りなし。

四月二十二日

貴方は知らないかもしれないが、
貴方の誕生が、如何《いか》に両親を喜ばせたか、
如何に周《まわ》りの人々を幸《しあわ》せにしたか、それを感じて欲しい。
その事の尊さ、その事の意味の深さを、判って欲しい。
それはきっと、貴方の、生涯の自信となるだろう。
イヤ、それを生涯の自信として、
これからも生きていって欲しい。

四月二十三日

心の病《やまい》とは、次々と襲《おそ》い来る不安の連鎖の事であり、
それを直すには、その連鎖を、例え一瞬でも断《た》ち切れるかどうかに掛かっ
ている。
それには、一呼吸、深く息を吐《は》いてから、全く別の事を考えてみる事だ。
楽しかった事、誇《ほこ》らしかった事、感動した事、大笑いした事…。
が、それでも不安は襲って来る。
その時はまた、同じ事を繰り返す。
すると何時《いつ》しか不安の連鎖は短くなり、
気が付くと、不安はずっと弱くなっている。

四月二十四日

神々に、祈りを欠《か》かしてはならない。
中でも、神々に願いを掛ける事は、決して間違いではない。
例えそれが実らずとも、真剣な祈りであればある程、祈った総量《そうりょう》に見合《みあ》う
恵《めぐ》みが、与《あた》えられるものである。
例えそれが、求めたものとは違ったものであろうとも…。

四月二十五日

人の良い点は、ある意味、悪い点でもある。
何故なら、その人が成《な》し得《え》た事は、
強いこだわりがあってこそできたものであり、それは、周《まわ》りの者を縛《しば》った
結果でもあったのだ。
だから、成し得たことを誇《ほこ》ってはならない。周りの人の犠牲《ぎせい》があった事を、
忘れてはならない。
それを知り、彼らに感謝の心あってこそ、
真の良い点となる。

四月二十六日

悟《さと》りとは、これまでの己《おの》れのこだわりを悟り、
そのこだわり故に、他の人を傷付けた事を、素直《すなお》に詫《わ》びる事から始まる。

四月二十七日

人は、自分の物に金を掛けても、無駄《むだ》とは思わないが、
他人の買い物には、
何故か、無駄だと思いがちである。

四月二十八日

初め有れば、終わり有り。
必ず、終わりの時は来る。
だから何時《いつ》も、今できることに感謝し、
今できることに、全力を尽《つ》くしたい。
そして今できたことに、感動《かんどう》したい。

四月二十九日

出会いは、必ず有る。
人との出会い、物との出会い、時との出会い。
もしかしたらそれは、
二度とできない出会いかも…。

四月三十日

別れは、必ず来る。
人との別れ、物との別れ、時との別れ。
それはある日、突然来る。
今言葉を交わせる人、今手にできる物。
そして今という時を、大切に…。

五月一日

萌《も》え立つ新緑、伸びゆく若木。
命《いのち》見られる喜びに、
命貰《もら》える感謝の心。

五月は青葉、青き空。
神に供える青榊《あおさかき》。
幾《いく》つになっても、青心《あおごころ》〈若々しい心〉。

五月二日

神々に、速効《そっこう》を求めてはならない。

自分に、都合《つごう》の良い事ばかり、求めてはならない。増して、神は全知全能《ぜんちぜんのう》とも、全く無力《むりょく》、などと決め付けてはならない。

神々のお力は、我々人間の知る由もない偉大《いだい》なもの、あの世に逝《い》って、やっと知り得るものである。

だからこの世では先《ま》ず、その一端《いったん》だけでも、知ろうとすべきである。

それには日々願い、日々祈り、日々励《はげ》みつつ、神々の力とは何か？を知ろうとする事である。

例えすぐ知り得なくても、それを、日々重ねていく、それが信仰というもの…。

五月三日

この世に完璧《かんぺき》な人間を求めても無理なように、神々に完璧を求めても無理。何故なら、神々はあの世でこそ完璧だが、この世では決して完璧な姿は見せないから。

もし一度《ひとたび》見せたら、人は恐れ多くて近付けず、目を開《あ》けてさえいられないから。

神々の本当のお力は、それ程強大《きょうだい》なのである。

五月四日

人を大切にする、とは、
先《ま》ずは、その人の苦しみを知り、悲しみを知って、共に分《わ》かつ事。
そして、ささやかでも、己《おの》が力を捧《ささ》げる事。

五月五日

人を守る、とは、
日々、その人の、健康成長を祈る事。
更には、何時《いつ》襲《おそ》って来るか判らない危険《きけん》を、常に避《さ》けられるよう、
祈る事。

五月六日

死に至《いた》る病《やまい》は、何をしたから、何をしなかったから、でなるものではない。
全ては、その身の命が、尽《つ》きる時を迎えたからである。
確かに積み重なった疲労消耗《しょうもう》があったとしても、外からの菌《きん》やビールスが
キッカケだったとしても、同じ病で、誰もが死ぬ訳ではない。
だからもしその病が出たら、愈々《いよいよ》その時が来た、と思いを定《さだ》め、その病を

受け入れるより他は無い。

勿論《もちろん》それを直そうと努力するは大切だ。

ただそれには、次の世に向かっての覚悟《かくご》と決意《けつい》が込められたものであって欲しい。

これが真の「病との戦い」である。

五月七日

人生には沢山《たくさん》の修行が有る。

先《ま》ずは仕事行《しごとぎょう》、夫婦行《ふうふぎょう》、親子行《おやこぎょう》。

それらを通して孤独行、病気行、情愛行、老衰行、貧富行、自尊行、失意行…等々沢山の修行が有る。

それらを成し遂げるには、馬力《ばりき》と牛力《ぎゅうりき》が必要。それは馬と牛とに見習おう。

一気に飛ばす勢《いきお》いと、ゆっくりながらも、黙々《もくもく》と歩む忍耐《にんたい》とをである。

五月八日

人には、人生に起こり来る事態《じたい》を、浅く捉《とら》える人と、深く捉える人とが有る。それは生き方の違いだが、浅く捉える癖が付くと、天が与えてくれる貴重な教えを聞き逃《のが》し、深く捉え過ぎると、先に進め無くなる。

先《ま》ず三日、日に三度、その事態が自分にとって何だったか、考えてみよう。

次いで三月《みつき》後思い出してみよう。何か心に残っていたら、それを深く心に留《とど》めよう。

そして三年後、自分に何か変化があったなら、「そうか、あの事態は教えとして、我が血肉《ちにく》になったのだ」と感謝しよう。

これが、「三日、三月、三年」の意味である。

五月九日

アッという間に数ヶ月が過ぎた。
それが余りに早い、と思うは、
手抜き、努力不足、が有ったからではない。
それこそ、充実《じゅうじつ》して生きて来た証《あかし》なのだ。

五月十日

日々の生活の中で、ちょっと浮かんだアイディアを、すぐメモしよう。それを面倒がる者には、「創造、進歩」は無い。

次いでそれに、別のアイディアを加味してみよう。それが浮かばなかったら、もう一度初めに戻ってみよう。それを厭《いと》う者には、「成長、発展」は無い。

アイディアは、手間暇《てまひま》掛けて初めて、モノになる。

五月十一日

若者に言いたい。

「日々心掛《こころが》けよう。引くな、焦《あせ》るな、泣き言《ごと》言うな」と。

老人に言いたい。

「日々心しよう。泣くな、誇《ほこ》るな、悪口《わるくち》言うな」と。

五月十二日

「平和の杜の教え」の元は、「神道の教え」で、要約《ようやく》すると、「感謝」と「祓《はら》え・清め」の実践に尽《つ》きる。

「感謝」とは、天地八百万《あめつちやおよろず》の神を初めとする　世のあらゆる存在からの恵《めぐ》みに、心からのお礼を言う事であり、

「祓え」とは、己《おの》れの罪穢《つみけがれ》や、寄り来る禍事《まがごと》を祓い除く事であり、

「清め」とは、それら罪穢、禍事の真意をもう一度問い直し、我が身に益《えき》するものは取り入れ、害する事は説き直し、最後は水に流す事である。

五月十三日

日々是老日《ひびこれろうじつ》〈日々、年を取っていく〉
日々是痛感《ひびこれつうかん》〈日々、それを痛感する〉
日々是好日《ひびこれこうじつ》〈日々、それを楽しもう〉

五月十四日

我が家、我が里、我が国に、若きエネルギーが途絶《とだ》えたら、闇《やみ》である。若きは未熟《みじゅく》で荒削《あらけず》りだが、すさまじい活力《かつりょく》でもある。それ無くして世の栄《さか》えは無い。

老いたるは、まさに「及《およ》ばざるが如《ごと》し」だが、代わりに、「若きの及ばざるを許す」事で、老いは若きと一体になる。その時若きは、成長し、愈々《いよいよ》成熟《せいじゅく》する。

五月十五日

人と人とは、全く別の存在である。夫婦は勿論《もちろん》、例え親子でも兄弟でも…。
だからお互い尊重しなければならない。
しかしお互い求め過ぎても、与え過ぎてもいけない。

それが長続きの秘訣《ひけつ》である。

五月十六日

老人にとって、ラジオ体操程良き友は無い。
そこには励《はげ》まし有り、労《いたわ》り有り、時には叱咤《しった》も、激励《げきれい》も、時には賞賛《しょうさん》も有る。
季節の音楽も有れば、元気な雄叫《おたけ》びも有る。何より、体が温《あたた》まり、若き鼓動《こどう》も蘇《よみがえ》る。
嗚呼《ああ》、まだ生きている、
そんな感動も与えてくれる。

五月十七日

世の中には、詐偽師《さぎし》も居れば殺人者も居る。つまり、危険人物が居る。それに限らず、ただただ己《おの》れの欲求《よっきゅう》を満《み》たすだけ、己れの憤懣《ふんまん》を満たすだけの為に、平気で法を犯す者も結構《けっこう》多い。

人は先《ま》ずそれを知って、世を渡りたい。

が、それらの人を事前に避《さ》けるには、何より、神々の力を頂《いただ》かなければならない。

が、仮《かり》に既《すで》に彼らに関《かか》わっているとしたら、上手に遠避《とおざ》けて貰《もら》うより他はない。

それには、先ず祈る。そこで何かの恐《おそ》れを感じたら、その人物との距離を徐々《じょじょ》に広げていく。

決して急《いそ》がず、決して悟《さと》られず、決してその素振《そぶ》りを見せずに、敬《けい》しつつ遠避かる…。

が、それでも切れないなら、思い切って、逃《に》げ出すのである。

五月十八日

すべき事は殆《ほとん》どした、したいことも殆どした。
それでも、残された日々は、誠実《せいじつ》に生きたい。神が与えてくれた貴重な日々
だから…。
人生最晩年《さいばんねん》、そんな気持ちで過ごしていけたら、何と素晴《すば》らしい事だろう…。

五月十九日

人が人を愛する、その姿は何より美しい。
取り分け若者の愛は、純粋で美しい。
ただ、愛を全《まっと》うするは難しい。
それは壊《こわ》れ易く、消え易い…。
それでも愛する事を止めてはならない。
例えその先に不幸が待っていようが、別れが待っていようが…。

五月二十日

貴方に、何かを言い残せるか、
それとも、言い残されるか…。
それは誰にも判らない。

でも今、伝えておこう、
心からの、感謝の言葉を…。
「長い人生、お付き合いを、ありがとう」

五月二十一日

この世に、「完璧《かんぺき》」は無い。「絶対《ぜったい》」も無い。だから生きていけるのだ。
それらを、目指して生きるは良いが、それで失望したり、喪失《そうしつ》したりしてはならない。
ともあれ、先《ま》ずは、生き抜く事だ。

五月二十二日

朝、無事に今日を迎える事ができた。それが、どんなに有り難い事か。夜、何事も無く今日を終《お》える事ができた。それが、どんなに感謝すべき事か。年を取るごとに、それを思う。

五月二十三日

誰でも、我が身に襲《おそ》い来る災害を、避《さ》ける事はできない。が、そこから生ずる二次災害は、避けられる。

それには先《ま》ず、一次災害を早く忘れる事。次に、人の助けを借りる事。人に感謝し、そこから学びながら、前に進む事。すると必ず、二次災害は避けられる。

それを続けると何時《いつ》の間にか、人を助ける力も身に付いてくる。

五月二十四日

信頼される人とは、自分の言った事を、ずっと忘れない人の事。
信頼されない人とは、自分の言った事を、簡単に忘れてしまう人の事。

五月二十五日

この世は、人と接する場、日々人から学ぶ場である。だから嫌《いや》でも、嫌《きら》いな人でも、先《ま》ず接しなければならない。
そこで、その人の求めるものを知り、それが、世の法に沿《そ》った正しいものであったら、精一杯それに応《こた》え、
そうでなかったら、相手を敬《けい》して〈うやまいながら〉、遠ざかれば良いのである。

五月二十六日

世の中は、日々刻々《こっこく》変化し、人もまた、日々刻々老《お》いていく。
そこで人は、どう生きるべきか。
先《ま》ずは変化に付いていき、それに沿《そ》うよう努力する。
が、ダメだと知ったら、我が道を歩めば良い。
要は、老いに沿って生きれば、良いのである。

五月二十七日

男の意気軒昂《いきけんこう》と、
女の情念一途《じょうねんいちず》は、意外に冷《さ》め易い。
信仰世界の盲信狂信《もうしんきょうしん》は、必ず凶事《きょうじ》や惨事《さんじ》を招《まね》く。

五月二十八日

脱《ぬ》いだ靴《くつ》は、その人の全てを物語る。
気を付けよう。
靴を脱いだ、その後《あと》を…。

五月二十九日

人間程、自己主張《じこしゅちょう》の強い動物はない。夫婦は勿論《もちろん》、親子でも、それは変わらない。
増して、他人同士だったら一層強い。それは、生きている限り変わらない。
が、万が一それを乗り越えた時、人間は、神になるのだろう。
例えば、その人中心の写真撮影でない場合、
できるだけ端に立つか、後ろに立つ人のように、である。

五月三十日

登山家がエベレスト山頂を目指《めざ》すように、神に仕《つか》える宗教家は、神の存在《そんざい》を知ろうと目指す。

誰もがそんな風《ふう》に、何かを目指すが、それぞれが違っている。

ただ、自分と違うからといって、他人の目指すものを、どっちでも良い、所詮無理《しょせんむり》、阿呆《あほ》らしい、と簡単《かんたん》に非難《ひなん》してはならない。

それら、違う人を尊重してこそ、自分の道も成就《じょうじゅ》するからである。

五月三十一日

人間頑張《がんば》っていると、何時《いつ》とは知らず、主役《しゅやく》となり、何時とは知らず、脇役《わきやく》となり、何時とは知らず、御用済《ごようず》みとなる。が社会に於《お》ける人間は、それで良いのだ。

Kaoru

六月一日

六月は大祓《おおはらえ》の月。
祓えは清めの為。
清めは、成長の元《もと》、成功の基《もと》。

六月二日

全てを、「否定」から入る人は、
時には正しいが、人々からは嫌われる。
全てを、「肯定」から入る人は、
時には騙《だま》されるが、人々からは愛される。
全てを、「感謝」から入る人は、
時には笑われるが、神々からは愛される。

六月三日

青葉と共に、夏は来る。
元気と共に、運は来る。
その青葉を大切に。
その元気と運を、大切に…。

六月四日

感謝を忘れてはならない。
しかし感謝を強要《きょうよう》してはならない。
ただ感謝は、先《ま》ずは感謝の言葉から。

六月五日

人を評価する事を、上座《じょうざ》の行《ぎょう》と言い、
人から評価されない事を、下座《げざ》の行と言う。
どちらも大切な修行である。

六月六日

自由と、我儘《わがまま》は紙一重《かみひとえ》。
自由を求める事は大切だが、それが我儘にならない為には、
先《ま》ずは、他人の自由を認める事である。

六月七日

道を行けば、事故の危険に晒《さら》される。
人と接すれば、怒りの挑発《ちょうはつ》に晒される。
一度《ひとたび》事故が起これば命の危険に晒され、一度怒りを爆発させれば、破滅《はめつ》の
危険に晒される。
ともあれ、怒ってはならない。

六月八日

不安を恐れるな。それは誰にもある。
不安は、生きる為の調味料。
それが無ければ、人生は薄味《うすあじ》。
だが多過ぎると、味わいどころか、料理にならない。

調味料は、程々に…。

六月九日

人に嫌われてもまだ良いが、
神さんに嫌われたらもうお仕舞《しま》い。
元々神さんは人を嫌わないが、
ただ自殺と、自分を偽《いつわ》る人は、
お嫌いのようだ。

六月十日

人には、忘れられない大切な日が、二つある。
一つは誕生日、一つは命日《めいにち》。
一方《いっぽう》は祝福され、一方は偲《しの》ばれる。
祝ってくれる人が居、思い出してくれる人が居る。何と尊い事だろう…。

六月十一日

幸せな夫婦とは、
結婚記念日を、夫婦の祝いというより、
「妻の第二の誕生祝」
としている夫婦の事であり、
取り立てて夫の祝いとはしない夫婦、の事である。

六月十二日

どんな家にも、悩みの種はある。
種類は違《たが》えど、種は尽《つ》きない。
だから世間は平等。人も平等。
だからこそ、胸を張って生きよう。
例え一ッ時でも、悩みを忘れて前に進もう。

六月十三日

人間皆、今が精一杯《せいいっぱい》。
だから不満でも、許してやれ、
むしろ、エールを送ってやれ。

六月十四日

自信を持つ事は良い。が、それが過信《かしん》になると驕《おご》りになる。幾《いく》ら、道に優《すぐ》れていようとも、他人には穏《おだ》やかに接するべきである。取り分け、その道を評価してくれ、慕《した》い来る人には一層穏やかに接したい。その為には、常に「我が過信を糺《ただ》し給《たま》え」と祈るべきである。

六月十五日

人を軽《かろ》んじてはならない。

貧《まず》しくはあっても、一杯のコーヒーにはプロ並の知識を持つ人も居れば、職は無くても、昆虫には学者並の知識を持つ人も居る。若くても特殊な力を持ち、老いても、人の役に立つ人も多い。

だから見た目や、今の状況だけで人を判断《はんだん》してはならない。

自分に無いものを持つ人は大いに敬《うやま》い、素直《すなお》に謙虚《けんきょ》に、教えを請《こ》わなければならない。

六月十六日

老いるとは、気温の急な変化に、付いていけなくなる事。寒さも暑さも、老いた身には辛《つら》い。

老いるとは、急な状況の変化に、付いていけなくなる事。それへの対応もまた大変なのである。

ただ人は、生きていれば嫌でも老人になる。誰に教えられなくても、老人になる。

せめて、学《まな》びの心を失《な》くした老人、感謝の心を失くした老人にだけはなりたくない。

それは単なる、寂しいだけの老人である。

六月十七日

「一期一会《いちごいちえ》」と簡単《かんたん》に言うが、人と人の出会《であ》いと別れは、そんな簡単なものではない。
もっと厳《きび》しい、もっと意味の深い、もっと恐ろしいものなのである。
だから出会いは慎重に…。
だから日々、良き出会いになるよう、神に祈る事が大切…。

六月十八日

「前世《ぜんせ》」の話は安易《あんい》にしてはならない。信ずるにせよ、信じないにせよ、
密《ひそ》やかにしなければならない。
何故《なぜ》なら一度《ひとたび》口にすると、
諸々《もろもろ》の因縁《いんねん》が、現れ出るからである。

先《ま》ずはこの現世《げんせ》の営《いとな》みに集中《しゅうちゅう》しよう。

六月十九日

夫が与党であったら、
妻は野党にならなければならない時もある。
そういう時は、議論は一層活発に。
それも、喧嘩《けんか》でない、意見交換《いけんこうかん》を。

六月二十日

夫婦は時には、敵《てき》と味方《みかた》に分《わ》かれて闘《たたか》う時もあり、時には共同《きょうどう》して外部の敵に立ち向かう時もある。
その姿は麗《うるわ》しいが、共に単なる喧嘩《けんか》は美しくない。
夫婦は常に共同し、また協同《きょうどう》し、
遂《つい》には、互《たが》いに教導《きょうどう》し合《あ》うまでに、なりたいものである。

六月二十一日

夫婦は、時には師弟《してい》の関係になったり、時には検事と弁護士の関係になったり、時には、教祖と信者の関係になったりする。

がどちらにしろ、長い人生の戦友《せんゆう》である事は間違いない。

夫婦である事に、感謝を…。

六月二十二日

『一隅《いちぐう》を照らす、国の宝《たから》なり』だが、『苦しみに黙って耐える、これもまた国の宝なり』である。常に黙々《もくもく》と歩み、常に一歩一歩進む。これ以上尊い事が有るだろうか。

六月二十三日

頑固《がんこ》と孤独《こどく》は、紙一重《かみひとえ》。頑固が過ぎると、歓呼《かんこ》の声が無くなって、何時《いつ》しか、閑古《かんこ》の鳥が鳴く。

六月二十四日

自分が死んでも、まさか『巨星墜《きょせいお》つ』とは言われまいが、『虚勢落《きょせい》つ』とも言われたくない。

人生誰もが、虚勢を張る時はある。イヤ、張らなければならない時もある。

だが、そればかりだと、本当の自分は消えていく。

人生、虚勢はできるだけ減らしたい。

六月二十五日

床屋にとって、禿げ頭は客にならないが、鬘屋《かつらや》にとっては大事な客。

家族にとって病人は困るが、病院にとっては仕事の元。

誰にとっても死は避《さ》けたいが、葬儀社にとっては、それが仕事。

とかく仕事は、そういうものである。

用なき物にも用あり。取り分け仕事の種は、何より大事。
受けた仕事は誠実に、真剣に、感謝して…。

六月二十六日

この世に起こる人間同士のトラブルは、
その殆《ほとん》どが、
相手が悪いと思う事から始まる。
本当は自分が悪いのかも…？

六月二十七日

『短気は損気《そんき》』と言われるが、
『短気は敗北《はいぼく》』である。
全ての闘争は、短気から起こる。
短気はくれぐれも、起こさぬように…。

六月二十八日

人は日々、因縁《いんねん》からの挑発《ちょうはつ》を受けている。
さあ、怒れ。さあ、怒れ。
怒ると気持ちが清々《せいせい》するぞ、と。
だが、それに乗ったらお終《しま》いだ。
そこから、因縁の暴走《ぼうそう》が始まる。

もう誰にも止められない。
神さんにも…。

六月二十九日

自主性《じしゅせい》は尊いが、
その結果の責任は常に問《と》われ、実らぬ場合は、即座《そくざ》に評価《ひょうか》が下がる。
それは厳《きび》しい事だが、自主性無くして事は始まらず、その原動力無くして、
人の助けも無い。
ただ仮に実った場合でも、そうでなくても、その後の反省は欠かせない。
何故なら反省は、次なる自主性の元であり、人もまた、そこを見ている。
反省こそ、自主性の原動力。

六月三十日

大祓《おおはらえ》は全国の神社で齋行《さいこう》される。
大《おお》とは公《おおやけ》の意。
勿論《もちろん》個人の安全健康も祈るが、
広く地域社会、日本全体、
イヤもっと広く世界全域、果ては宇宙までも、
その平和平安、安定発展を祈るものである。神道の教えとは、そういうものである。

Kaoru.

七月一日

厳《きび》しい暑さ。
「大祓《おおはらえ》」の力で、乗り切ろう。
身気休息《しんききゅうそく》、
水気補充《すいきほじゅう》。
冷やし過ぎずに、心気充実《しんきじゅうじつ》。

七月二日

妻を得た夫達よ。
「新妻《にいづま》を愛《いと》おしむ」と
「老妻《ろうさい》を労《いたわ》る」とは、一筋に繋《つな》がっていなければならない。
夫を得た妻達よ。

「新夫の情熱を受け入れる」と、
「老夫の頑固《がんこ》を受け入れる」とは、一筋に繋がっていなければならない。

七月三日

政治の世界では、政策論争を超《こ》えて、権力闘争が避《さ》けられない。
学問の世界ですら、批評批判《ひひょうひはん》を超えて、貶《けな》し合い、足の引っ張り合いが避けられない。
それは他の世界も皆同じ。常に反対反発、苦役苦闘《くえききくとう》の連続である。
だが負けてはならない。それは、一層良くなり、一層高まる為の試練《しれん》と考え、
それら全てを先《ま》ずは受け入れ、超えていって欲しい。

七月四日

自分に、二つの良き事が起これば、
代わりに何処《どこ》かで、一つの悪しき事が起こっている筈《はず》。
だから、良き事にも燥《はしゃ》がず驕《おご》らず、逆に悪しき事の起こった人への思いや
りをも忘れずに…。

七月五日

仕事とは、「仕《つか》える事」である
先《ま》ずは注文主《ちゅうもんぬし》に、「仕える気持ち」が大切。
ただ、全て言うなりでなく、時には、「事に仕えさせる」ことも大事。
つまり注文主に、仕事の意味と価値を説き、理解させるのも大切。

七月六日

若気《わかげ》の至《いた》りは許されるが、
悪気《あしげ》の至りは許されない。
それは悪意を以って、人の心身に消す事のできない傷を負わす事である。
それが幾《いく》ら小さな傷であろうとも…。
自分は人に、傷を与えなかったろうか？
時には、そう振り返ってみよう。

七月七日

信仰《しんこう》の話は難しい。

信仰している人には、それぞれの教えや信念が有り、していない人には元々関心が無い。

信仰に迷《まよ》っている人には、どんな影響を与えるか判らないし、却《かえ》って迷わせる事になるとも限らない。

つまり、軽々《けいけい》には語れない。

が、もし尋《たずね》られたら、我が経験、我が信念を語るより他はない。

ただ決して強要《きょうよう》してはならない。

やはり信仰は、先《ま》ずは自分だけのもの、自分で祈るより他はないのである。

七月八日

人生の達人《たつじん》とは、悲しみや苦しみ、失敗や挫折《ざせつ》、困難《こんなん》や恐怖《きょうふ》、それら全てを、一歩前進の為の、「肥《こ》やし」にしてしまう人の事である。

七月九日

人は何時《いつ》も誰かに怯《おび》えている。

上司の一言《ひとこと》に、友人の態度に、夫や妻の不機嫌《ふきげん》に…。

更には、子や孫の対応に、隣人《りんじん》や、道行く人の視線《しせん》に…。

だからこそ、誰かの善意の一言に、親しげな態度に、機嫌良さに、深い悦《よろこ》びを感ずるのだ。

だとしたら自分もまた、人に対してそんな思いを抱かせる存在でありたい。

七月十日

あの世の話は難しい。
実際、誰もが見て来たものでなし、
見て来たと主張する人でも、他の誰かと一緒に見て来たものでない限り、
証明の仕様《しよう》がない。
しかしこの長い歴史の中で、見てきたと主張する人は沢山《たくさん》居るし、今尚《いまなお》、
絶《た》えることが無い。
だからきっと有るのである。
だとしたら、考えるだけでも意味が有るのかも…。

七月十一日

祈りは、誰に憚《はば》かるものではない。

恥《は》じるものでもない。
決まった場所でなければできないものでも、
決まった形でなければできないものでもない。
兎《と》も角《かく》祈るのだ。
素直な心で、一心に祈るのだ。
必ずそれは、尊い存在に伝わるものなのだ。

七月十二日

甘やかされて育った者は、総《そう》じて感謝の念が薄《うす》い。
しかし厳《きび》しく育てられた者は、総じて思い遣《や》りの心が薄い。
勿論《もちろん》例外はあるが…。

七月十三日

何事も、
飽《あ》きずに、
懲《こ》りずに、
休み無く。

七月十四日

たまたま、手足に不自由が起きると、
これまで我が手足は、何と凄《すご》い難度《なんど》の技をこなしていたか思い知る。
そして我が体に感謝する。
同時にこの世には、不自由な体でも如何《いか》に頑張《がんば》っている人が多いかに気付かされる。

そしてその努力に頭が下がり、勇気付けられ、そして彼らに感謝する。

七月十五日

暑さ本番《ほんばん》。
水分補給《ほきゅう》、緑陰休息《りょくいんきゅうそく》、
そして折々《おりおり》、神参《かみまい》り。

七月十六日

人生如何《いか》に苦しくても、
生まれてしまった以上、死ぬまで、生き抜くより他は無い。
頑張《がんば》れ！　がんばれ！　ガンバレ！
必ず、道は開ける。

七月十七日

年を取ると、夢が現《うつつ》に、
現が夢になる。
この両方を何時《いつ》も見詰《みつ》め、そのバランスを保つ事こそ、年寄りの務《つと》めである。
夢が現実になり、現実が夢となる、
イヤ、現実を夢に変える事こそ、
人生の醍醐味《だいごみ》、なのである。

七月十八日

この世でやり残した事を、あの世でするのは大変な事らしい。
何しろ肉体が無い。助けてくれる人も居ない、有るのは我が魂《たましい》だけ。

あの世でできるのは、我が魂を磨《みが》く事と、この世の人に霊力《れいりょく》を与える事のみ。

ただそれには長い修行が必要。とても、この世のやり残しを果たす暇など無い。

だからこそ、この世に在る内に全力を尽《つ》くすのだ。できる限り、やり尽くすのだ。

だからこの世では、悩んでいる暇《ひま》など無い。増して自殺など、これ以上勿体《もったい》無い事は無い…。

七月十九日

彼は、あれで、精一杯《せいいっぱい》。
彼女も、あれで、精一杯。
そう思って見てやろう。
何時《いつ》か、彼も彼女も成長する筈《はず》だ。

七月二十日

今の時代の感謝とは、
〈蛇口《じゃぐち》を捻《ひね》れば、ジャーッと水が出、トイレのボタンを押せば、ジャーッと水が流してくれる。火を灯《とも》さなくても、灯《あか》りが付き、炭を熾《おこ》さなくても、熱が出る…〉
それらの事に、先《ま》ずは有り難く思う事から始めよう。

七月二十一日

兎《と》も角《かく》、迷《まよ》うより先に、今やっている事、今できる事を続けなさい。まるで一つ覚《おぼ》えのように…。きっと、道は開《ひら》けます。

七月二十二日

物を尊ぶ者には、物が集まり、人を尊ぶ者には、人が集まる。ただ、物は使わないと、すぐ古くなり、人は活《い》かさないと、すぐ問題を起こす。物は使ってこそ価値を増し、人は活かしてこそ成長する。真に尊ぶとは、活かす事である。

七月二十三日

『縁無《えんな》き衆生《しゅじょう》は、度《ど》し難《がた》し』と言うが、その縁とは何か。

それは、貴方に近付いて来る人の事である。

ただ初めは、それが貴方にとって良き人か悪しき人か判らないが、それを知るには、先《ま》ず彼らの言葉の一つ一つを記憶《きおく》し、何度も吟味《ぎんみ》する。そこで、消えない言葉が残ったら、それをその侭《まま》その人に返してみる。

するとその人の反応で、それが心からの言葉だったか、そうでなかったかが判る。判ったら、更に近付くか、離れていくかを決める。

ただ離れるならば、一気に離れず、静かに、そっと、敬《うやま》いながら離れるのである。

七月二十四日

子供の声は、素晴らしい。
陰《かげ》り無き声には、耳は活き活きと反応し、気持ちは軽やかに弾《はず》んでくる。
『元気を貰《もら》う』とはこの事である。

七月二十五日

人生は、水火《すいか》の如《ごと》し。
時には火と燃え、時には水に冷やされ、時には、水の流れのように平々凡々《へいへいぼんぼん》と。
また時には、烈火《れっか》のごとく辺りを焼き尽《つ》くし、時には激流《げきりゅう》に呑《の》み込まれ、
時には灯火《とうか》に心安《やす》め、焚《た》き火《び》に手を温《あたた》める。
まさに水火あっての、この人生。

七月二十六日

傍観者《ぼうかんしゃ》は気楽《きらく》なもの。
それに引き換え当事者《とうじしゃ》は大変。
但《ただ》し、そっちには真の喜びは無く、
こっちには得難《えがた》い充実が有る。
人生そのものと言える充実が…。

七月二十七日

ささやかな休息《きゅうそく》は、人生にとっては尊い一コマ。
例え一瞬の深呼吸《しんこきゅう》も、微《かす》かな微笑《ほほえ》みも、貴重な休息。
多忙《たぼう》な日々にも、忙《せわ》しい時間にも、ささやかな余裕《ゆとり》を持とう。
その一瞬こそが、神の恵《めぐ》みなのだ。

七月二十八日

自分を変えようとする者は、弱い。
変えようとしない者は、強い。
が、変わらない人間は、殆《ほとん》ど向上しない。

七月二十九日

若き人よ。今流行《はや》っている歌や音楽が、新しいと思うな、それはすぐに古くなる。

若き人よ。老人が口ずさんでいる歌や音楽が、古いと思うな。それは今に生き残った証《あかし》なのだ。

歌や音楽は、それぞれの時代を背負っている。

だからこそ懐《なつ》かしく思い出し、思わず口ずさむ。がその時その音楽は再び命が蘇《よみがえ》るのだ…。

歌や音楽とは、そういうもの、その人の心の中に、生きているものなのだ。

七月三十日

どんな人間も、豹変《ひょうへん》する事がある。今までと違った面が強く出てくるのだ。できればそれが、良い変化でありたいが、その逆もある。その時はどうする？

それには、その人の魂《たましい》に呼び掛けるより他はない。先《ま》ずはその人の魂を呼び、「清まるよう、鎮まるよう、高まるよう」言い聞かせ、正しい変化となるよう祈る。

すると不思議に、少しずつ良き変化が顕《あらわ》れ、良い意味での違った人間になっていく。

直接言うより、先ずはその人の魂に…。

七月三十一日

人生、どんな「災《わざわ》い」が、何時《いつ》「幸《さいわ》い」に転《てん》じるか判らない。
またどんな「幸い」が、何時「災い」に転じるか判らない。
だから何より大切なのは、日々の「省《かえり》み」〈反省〉、日々の「先《さき》み」〈予見〉
を欠かさない事。その繰り返しを続ける事である。
すると何時しか「人生の達人《たつじん》」になって、寄り来る「災い」は遠ざかり、
去り行く「幸い」は、再び近付いて来るのである。

Kaoru.

八月一日

暑さの中でも、先《ま》ず暑気《しょき》に、更に病気、悪気《あっき》に克《か》とう。
その為には、暑さに負けず、
神気《しんき》、樹気《じゅき》、水気《すいき》を頂《いただ》こう。

八月二日

人は殆《ほとん》どの人が、「自分がこの世で一番」、
と思っている。
そこまでではなくても、「先《ま》ずは自分を守ることが一番」、と思って生きている。
それは、悪い事でも間違った事でもない。
それ故に生きる事ができ、そこから、自主性も自立性も育ち、自己防衛《じこぼうえい》も

できる。
だがある年齢に至った時、それだけで良いのかと、気付いて欲しい。
他の人が一番、自分は二番でも三番でも良い。イヤ、ビリでも良い。
更には、もう自分を守らなくても良い、代わりに大きな存在に任《まか》せれば良いのだ、と。
その時、人の真の成長が始まる。
できれば命ある内に、そんな人になりたいものだ…。

八月三日

貴方を失った事は、人生最大の衝撃《しょうげき》だった。

ただ、褒《ほ》めて欲しい。

その時私は、神を恨《うら》んだり、人を恨んだりはしなかった。

ただ強《し》いてした事と言えば、自分が立ち直ろうとする事より、あの世で貴方が迷わぬよう、寂しくないよう、ただひたすら祈る事だった。

そのお陰だろうか。苦しみ悲しみを何とか乗り越え、ここまで来られた気がする。

だが何より嬉しかったのは、
何時《いつ》しか、貴方がこちらに話し掛けてくれ、更に助けてくれたり、導《みちび》いてくれたりした事だった。

気が付くと、私は貴方を頼りにしていた。

そうだ、支えたのは私の方でなく、貴方の方だったのだ。そう、貴方は私にとって、神となっていたのだ。
ありがとう。今は感謝の他は無い。もう貴方に望むことは何も無い。
イヤ、ただ一つだけある。
私が逝《ゆ》く時、是非とも迎えに来て欲しい、ただその事だけである…。

八月四日

民主主義の基本は、武器《ぶき》でなく言論《げんろん》で、思いを戦わせる事だが、中には議論が苦手《にがて》の者も居れば、議論を理解できない者も居る。中にはすぐ腕力《わんりょく》を振るいたくなる者も居れば、深く恨《うら》みを持つ者も居る。だから民主主義は、多数決で決める他はなく、そこで投票となるのだが、その結果が全て絶対というものではない。むしろそれしかないと決め付ける事は、却《かえ》って間違いを犯《おか》し易い。しかしこの制度しか、人間社会を平和の内に前に進める方法は無いとしたら、そこには「許し合い」と「感謝し合い」が欠かせない。がその為には、一人一人が日々の祈りと、その実践。同時に、幼き者に、その心を伝える教育が必要である。そう、それしか、無いのである。分かち、与えてやって欲しい。

八月五日

感謝の心を持とう。
感謝の心が、薄くなると、
今の恵《めぐ》みが、途絶《とだ》えた時、
大きな負担《ふたん》が、待っている。
感謝の心とは、今の恵みが、途絶えた時の事を思う、
その事から始まる。

八月六日

人に、沈黙《ちんもく》を強《し》いる事は、止《や》めよう。
その人の、心を閉《と》ざすだけでなく、
その人の、言葉から得られる恵《めぐ》みを、失う事になる。

八月七日

不幸は、ある日突然、やって来る。
人は惑《まど》い、苦しみ、先を悲観《ひかん》する。
が、そこに止《とど》まっていると、更なる不幸を、呼び招く。
それには先《ま》ず、前に進まなければならない。
不幸から、一歩踏み出さなければならない。
貴方の回りに居る誰かの為にも。
そう、命を授かっている自分自身の為にも…。

八月八日

幸せは、ある日突然には、やってこない。
必ず長い下積《したづ》みの努力が、その基《もと》にある。

努力は、焦《あせ》ってはならない。
黙々《もくもく》と、日毎夜毎《ひごとよごと》に、一歩一歩積み重ねなければならない。
すると、ある日突然のように幸せが訪れる。
しかしそれはすぐに去って行こうとする。
そうさせない為には、
また、黙々と、日毎夜毎に、一歩一歩努力を積み重ねなければならない。

八月九日

民主主義を長持ちさせるには、
一人一人が、感謝の気持ちと、他への思いやりを持つ事が大切である。
それは『足るを知る心』の事であり、
それを失《な》くすと、必ず独裁者《どくさいしゃ》が出る。
彼は民主主義を壊《こわ》し、平和を破る。
そうならぬ為には、一人一人が、感謝と思いやりを実行し、独裁者を認めない社会を守るべきである。
その時社会は、平和な社会となる。

八月十日

人が集まれば、必ず、それらを統治《とうち》する者が、必要となる。統治者は必ず権力者となり、放《ほう》っておくと独裁者《どくさいしゃ》になる。

彼は必ず統治の為と称し、人々を束縛《そくばく》し、その力を拡張《かくちょう》しようと戦いを始める。

それを避《さ》けるにはどうするか。

先《ま》ずは人々が祈りの心を持ち続ける事。

次いで、人と人との心の繋《つな》がりを失わない事。そして、多数決の法を守ると同時に、少数意見を尊重する教育を、しっかり施《ほどこ》していく事、それである。

八月十一日

どんな子供にも突然のように、大人じみた一面、大人じみた言動を見せる事があるように、どんな大人にも、子供じみた一面、子供じみた言動を見せる事がある。

どちらも、困ったものと思ってはならない。

それは、その人の性格の核《かく》であり、魂《たましい》の芯《しん》でもある。

先《ま》ずは理解し、先ずは受け入れつつ、徐々に矯正《きょうせい》し、じっくり見守るが良い。

だが、大人のそれは結構影響が大きく、時には問題も起こす。

それを無くすには、最も身近な者が、
先ずはその人の「魂を呼んで鎮め、次いで魂に言い聞かせをし、再び元へ帰す」といった祈りの行を続けるのである。

すると何時《いつ》しか、それら異常な言動は消え、
その人の核や芯が自然な形で表へ出、

良き花を咲かせ、実を結ぶのである。

八月十二日

身内《みうち》〈親族〉の存在は尊い。

だが身近故行き違いや喧嘩《けんか》が生じ易く、昂《こう》ずると家が滅ぶ。

何故なら身内は、あらゆる因縁《いんねん》の顕《あらわ》れる場であり、取り分け、「血の道の因縁」が顕れ易いからである。

それは因縁の中でも最も難しく根深いものであり、それ故「因縁消滅行《いんねんしょうめつぎょう》」の中では、最も価値あるものでもある。

だから今生じている身内の争いは、できるだけ早く和解し、解決するが良い。

できぬ我慢、できぬ許しを敢《あ》えてする。

それが真の我慢、真の許し。まさに「因縁消滅の成就《じょうじゅ》」なのである。

八月十三日

「真の成長」とは何か。
それは、「先《ま》ずは自分」でなく、
「先ずは他者」の心で、他の者を成長させ、自主性や自立性を育ててやる事である。
それこそ「真の成長」。

八月十四日

失いたくないものを失うのが、人生。
肉親であったり、愛する人であったり、
財産であったり、大切な物であったり…。
が、人はそこから成長する。イヤ成長しなければならない。

それは失った人、失った物に対する返礼であり、感謝の標《しるし》である。
失った悲しみは、成長の糧《かて》に…。

八月十五日

戦争で、何より辛《つら》い思いをしたのは、戦没者《せんぼつしゃ》。
同時に、残された人々とその子供達。
そして、彼らを見守る神、仏。
もう二度と、辛い思いをさせてはならない。

八月十六日

戦争は、平和に慣《な》れてくると起き易い。先《ま》ずは平和への感謝、戦争への備え。が何よりも、平和の種を播《ま》く事を心掛けよう。それには先ず身近から争いを無くそう。

が争いは絶えない。だが諦《あきら》めてはいけない。焦《あせ》ってはいけない。先ずは我が心を修《おさ》め、次いで相手の気持ちを治《おさ》め、最後にその争いを収《おさ》めたい。

その為には何より、「我が心の鎮めと相手の魂《たましい》の鎮め」を祈る、その祈りを続けたい。

八月十七日

真の平和の尊さは、戦争を体験した者にしか、判らない。だからこうして神は、何時《いつ》も何処《どこ》かに戦争を起こし、敢《あ》えて平和の尊さを教えようとするのだろうか？

イヤ、それは違う。

戦争は小さな争いの積み重ね。その小さな争いを、大きな争いにしない努力をするよう教えているのだ。恐ろしい戦争を体験しなくて済《す》むように….。

だからせめて、今戦争に苦しむ人たちに、自分のできる限りの助力をしよう。

先《ま》ずはそこで、平和の尊さを学びたい。

同時に、小さな争いを、大きな争いにしない努力をしよう。

八月十八日

人間、この世を渡るには、仕事をしなければならない。

ただその中で、一度《ひとたび》「楽」をすると、それ以上の仕事は、「苦《く》」となる。

しかし人間、一度「苦」に克《か》つと、それ以上の仕事は「楽」となる。

八月十九日

この世に生きる人間、男であろうが、女であろうが、一筋縄《ひとすじなわ》でいく人など、一人も居ない。

だから、決して人を侮《あなど》ってはいけない。軽視《けいし》してもいけない。

それ以上に、その人から、何かを学ぶ気持ちを失ってはならない。

八月二十日

「嗚呼《ああ》、今日はきっと良い事があるぞ」

と家を一歩出る時、必ず思おう。

きっと色々、苦しい事もあるだろう、余り良いことは無いかもしれない。

が頑張《がんば》ろう。

嫌な一日も、苦しい一日も必ず終わる。

ただ家に一歩入る時は、

「嗚呼、今日は良い一日だった」と必ず思おう。

すると嫌な思いも苦しい思いも、暫《しば》し忘れ、代わりに何かを思い返し、その内反省の気持ちも少しは出てくるものだ。

そんな日々を繰り返すと、
何時《いつ》か、本当に良い一日を持つ事になる。

八月二十一日

何をしてもダメ、という日がある。何を考えても良い考えが浮かばない、という日もある。

こんな日には、原点に返ろう。

それは、子供の頃を思い浮かべるのが良い。楽しかった事、苦しかった事、嬉《うれ》しかった事、辛《つら》かった事、自慢できた事、失敗した事等々…。

すると、何か芽生えのようなものが、浮かんでくる、見えてくる。

それを大切にしていくと、何かが生まれ、育ち、実ってくる。

八月二十二日

人一人を深く知るのは、実に難しい。

しかしその人を知ってこそ得るものがあり、力となる事も多い。だから人と付き合う事は実に尊く、価値ある事でもある。

だが、人はすぐ人を見限り、離れていく。

しかし反対に、付き合いを続け、深めていくと、真に得難《えがた》いものを得る。

それは自分には無いもの、が何時《いつ》か自分のものになり、自分の力となるものである。

八月二十三日

夏休みもあと僅《わず》か。まだ宿題が大分残っている。嗚呼《ああ》、何故もっと早くからしておかなかったのだろう…。

人生も少し先が見えてきた。

嗚呼、何故もっと早くから、すべき事をしておかなかったのだろう。何故したい事をしておかなかったのだろう…。

でも夏休みも、人生も、元々そんなもの。

ただ、二学期までは少し時間がある、あの世へ逝《ゆ》くまで、少し時間がある。

宿題、一気にやってしまおう。人生、一気に片付けよう、纏《まと》めよう、挑戦しよう。

八月二十四日

厳《きび》しい暑さの上に、水害。
体調不良の上に、仕事の不振。
生活苦《せいかつく》の上に、病気。
人には、苦しい上に尚《なお》苦しい事が起こる。
しかしそれが人生。
それに耐え、それを乗り越えるがまた人生、
それが修行と思って、前に進もう。

八月二十五日

こうして手足を動かせる事が、
イヤ、こうして息を吸《す》い、息を吐《は》けるのが、如何《いか》に尊く、有り難《がた》い事だったか。
嗚呼《ああ》、それに気付かず、当たり前の事として、
イヤ、むしろ苦役《くえき》として生きて来た。
何と勿体《もったい》ない事、何と申し訳ない事だった…。
嗚呼、これからは、
喜びで、感謝の心で生きていこう。

八月二十六日

人生とは、
アスリートが、日々、自己新記録を目指して挑戦《ちょうせん》し、悪戦苦闘《あくせんくとう》する姿に似ている。

それは大変な努力だが、端《はた》から見れば、何もそれ程までに頑張《がんば》らなくても、と思えない事も無い。

もしかしたら、単なる空回《からまわ》り？

だが、それでも止《や》められない。やらざるを得ない。それを続けないと前に進めない。

が、それが人生というもの。

ともかく、新記録を目指して頑張ろう。

八月二十七日

この世で、一芸に秀《ひい》でる者は、尊い。
だがそれ以上に、
一芸を楽しめる者は、尚《なお》尊い。

八月二十八日

神社は、神様の鎮《しず》まる処《ところ》、祀《まつ》る処。
だが、そのお働きは偉大で巨大で、社の中に小さく収まっているものではない。
つまり神社は、その大きなお働きへと繋《つな》がる入口、または扉なのである。
我々はそのお力を頂くべく、その入口、その扉の前に立って日々祈る。
その先の先、その奥の奥をイメージしながら…。

だが、授かるお力はそれぞれが違う。その大小は何に依るのだろう。祈る人の心に掛かっているのだろうか…？

だがそれはそれとして、真剣に祈ろう。

そして、少しでも大きなお力を頂こう！

八月二十九日

老いたる者にとって、若者は皆生意気に見えるもの。

自分だって若かりし頃、大いに生意気だったことも忘れて…。

八月三十日

すぐ近くに有る屑籠《くずかご》にさえ、投げれようとすれば何度かは外れる。
だから人生に於《お》いてさえ、その挑戦が外れることは当たり前なのだ…。
失敗を気にするな。何度でも挑戦しよう。

八月三十一日

ワクチンに副反応が有るように、
何をしても思いがけない反応が有るものだ。
だから悪い反応も、先《ま》ずは受け入れ、その真意を汲《く》み取ろう。
何の教えだろう？　と見直し聞き直そう。
例え、悪い反応でも、それは次なる良き事へのキッカケ、と思おう。

Kaoru.

九月一日

秋《アキ》が来る。
コロナ〈流行病〉に飽《アキ》ず、諦《アキ》らめず。秋《アキ》こそ、心の癒《い》やし時。

九月二日

元々、穏《おだ》やかな人生なんて有り得ない。本来人生は、波瀾万丈《はらんばんじょう》なものなのだ。
怯《ひる》むな、負けるな、逃げ出すな。
先《ま》ずは、今日一日に全力を…。

九月三日

「くしゃみ」は、気管《きかん》に刺激《しげき》を与える為、「あくび」は、脳に刺激を与える為、
「おなら」は、腸に刺激を与える為。
それらは、生きる為に大切なものなのだ。
が逆にそれらは、気管が、脳が、腸が、
疲れている事を知らせてもいるのだ。
それらメッセージを大切にしよう。

九月四日

何かを断念《だんねん》すると、
必ず別の、大きな獲得《かくとく》が有る。
断念した事を、後悔してはならない…。

九月五日

過去に人を傷付けると、未来の何時《いつ》かに、必ず誰かに傷付けられる。それは大小に限らず、本人が気付くか気付かぬかは別に、必ず起きる。それで、世の因果応報《いんがおうほう》は保《たも》たれる。ただそれに気付いた者は、その連鎖《れんさ》を絶《た》ち切るよう、深く反省し、決して報復《ほうふく》をしないようにしたい。すると、悪《あ》しき因果応報は消える。

九月六日

世間に、何らかの情報を報道拡散《ほうどうかくさん》する者は、玄人素人《くろうとしろうと》に限らず、心してそれをしなければならない。どんな形にせよ、必ず自分に返って来るからである。

先《ま》ずは、それで善悪《ぜんあく》を決め付けてはならない。それで、世の人々を煽動《せんどう》し、迷《まよ》わせ、苦しめてはならない。

何より嘘の情報捏造《ねつぞう》拡散は、罪が深い。

九月七日

何事も、欲《よく》を優先《ゆうせん》した事業は行き詰まる。例え一ッ時、成功したように見えても、間もなく、衰《おとろ》える。

その成功を永続させるには、徐々《じょじょ》に徐々に「無欲《むよく》」に近付きながら、事業を継続していく事である。

そして人と社会に、更に余裕《よゆう》があったら、神や先祖に還元《かんげん》する事である。

九月八日

襲《おそ》い来る、悪しき事の原因を、全て他人の所為《せい》、にしてはならない。
そこには決して「省見《かえりみ》」は無く、救いは無く、一歩も前に進まない。
全ては、己《おの》れ自身に原因が有る、
そう思うと、そこに、「先見《さきみ》」がなされ、救いが生まれて、必ず一歩前進する。
その一歩こそが、「進歩」なのであり、
「中今《なかいま》」〈今に全てを込めること〉の生き方なのである。

九月九日

この世で、一番怖《こわ》いものは何かと言えば、それは、この世である。
何時《いつ》起こるか判らない災害事故、人の誤解中傷。そこから始まるトラブル
諍《いさか》い。果ては戦争まで、それは一ッ時として止まる事は無い。

では、この世で、一番有り難いのは何かと言えば、それは天地《あめつち》の神々、大先祖《おおせんぞ》、御先祖達《ごせんぞたち》。

人間最後は、祈るより他は無いのだ。それには祈る対象が無ければならない。

それが、通ずるか通じないか、叶《かな》うか叶わないか、イヤそれら神霊が本当に居るのか居ないのか判らずとも…？

だが、それでも最後は、人間、祈らざるを得ないのだ。

九月十日

世の妻達よ、
夫の愚《おろ》かしさを、「可愛《かわい》い」、と思え。
世の夫達よ、
妻の愚かしさを、「いじらしい」、と思え。
そうすれば夫婦ゲンカは減るだろう。

九月十一日

負けを認めない人間程、愚《おろ》かな者は無い。
真の再起《さいき》は、そこから始まるのだ。
素直に負けを認める、真の向上は、そこから始まるのだ。

九月十二日

政治家よ。この世を動かすのは自分だ、と思ってはならない。経済人よ。富の集中が全てだ、と思ってはならない。宗教家よ。己《おの》れの信ずる神、仏が全てだと思ってはならない。

今の役目は、全て大きな存在から与えられ、その一部を、代行《だいこう》させて貰っている事を忘れてはならない。

九月十三日

動物にも、「感謝の心」が有るらしい。
人間に、それが無くてどうしよう。

九月十四日

人間は、「身《み》と魂《たましひ》」の合体したもの。身は両親から、魂はあの世から来る。「心」は、その二つが重なり混《ま》じり合った処《ところ》で生ずる。そのどちらも、色々な因縁《いんねん》〈喜びの種、苦しみの種、拘《こだわ》り偏《かたよ》りの種、病根諸癖の種等々…〉を持っている。謂《い》わば因縁のオンパレード。それが成長と共に多様に現れ出る。特に心の中に…。心はその異質で二重性の為に、常に揺れ動き常に対立し、それが昂《こう》ずると身を滅ぼし魂の行く先を見失わせもする。これを統一し、そこから抜け出るには、縁《ゆかり》ある神に繋《つな》がり、その神の鏡に己《おの》れを映しながら、どれが「身からの因縁」か、どれが「魂からの因縁」かを知り、それらを一つ一つ清めていかなければならない。清めるとは、先《ま》ずは神と自分とで決めた祝詞《のりと》〈言霊の籠もった言葉〉を我が言葉とするまで奏《あ》げ続け、その消滅《しょうめつ》を願うのである。すると心は清まり一つとなり、何時《いつ》の日か身は滅ぶとも、清らかな心の衣装に纏《まと》われた魂はその侭《まま》天上界に昇り、神からの祝福を以って、受け入れられるのである。

九月十五日

老いは、人生の後遺症《こういしょう》。
しっかり生きた、勲章《くんしょう》なのだ。
恥《は》じてはならない。
弱音《よわね》を吐《は》いても、いけない。
堂々と、老いるのだ。

九月十六日

老人達よ。
先《ま》ずは、若者達を許そう。
彼らの言動は、若さ故、未熟《みじゅく》故だからだ。
ただ、その若さは、老人の二度と取り戻せない貴重なものなのだ。
若者達よ。
兎《と》も角《かく》、老人達を許そう。
彼らの言動は、老いた故、熟《じゅく》し過ぎた故だからだ。
ただ、老人達の、生きた重みを忘れるな。
それは、若さの及ばない、遙《はる》かに価値あるものなのだ。

九月十七日

「全てを受け入れ、全てを許し、全てを委《ゆだ》ねる」は悟《さと》りの極致《きょくち》だが、誤解してならないのは、人の言葉をその侭《まま》受け入れ、ただただ許し、人の為す侭になれ、の意味ではない。

そこに至るまでには、大いに反発《はんぱつ》し拒否《きょひ》し、大いに恨《うら》み妬《ねた》み、大いに独歩《どっぽ》、専行《せんこう》するは間違いではない。それ無くして人間の成長は無いからだ。

ただそれを一ッ時の自己満足、自己充足《じゅうそく》で終わらせてはならない。

何故なら、そこには他の存在、他の状況があるからで、それへの配慮《はいりょ》、検証《けんしょう》がない限り、単なる我意《がい》の発揚《はつよう》で終ってしまうからである。

勝手な思い過ごし、思い違いは無かったか。

偏《かたよ》った正義感、一方的な主張は無かったか。

その反省無くして、受け入れも、許しも、委ねも無いのである。

九月十八日

一生懸命やった。
それで良い。
それだけで立派なのだ。

九月十九日

学校に、不安を持つ子供達よ。
職場や家庭に、不安を持つ大人達よ。
老後の生活に、不安を持つ老人達よ。
人生そのものに、不安を持つ人達よ。
心配するな、先《ま》ずは慣れる事だ。
先ずは今日の一日を、何とか乗り切る事だ。

それには「祈り」が必要。兎《と》も角《かく》祈る事だ。
祈りは全ての突破口《とっぱこう》。
親は子に、「祈り」を教えよう。
人は人に「祈り」を教えよう。
最も身近な氏神様《うじがみ》に、
最も親しいご先祖様《せんぞ》に、
そして最も信じられる尊い神様達に…。

九月二十日

この世に一度《ひとたび》命を授けられたら、何時《いつ》の日か「真の命とは何か」を知ろう。それには先《ま》ず、我が身《み》とは、次いで我が魂《たましい》とは、そして我が心とは何かを知ろう。

それらは皆別々のエネルギーだが、それらが一つになったのが「我《われ》」であり、それらの働きが「我」なのである。

元々永遠不滅の魂は別として、身は壊《こわ》れ易く限りが有るが、心は意外に強い。それは身から来ると同時に魂からもその素《もと》が来ているからである。それ故例え言葉は失っても、意識は無くなっても、心は厳然《げんぜん》と存在する。

だからこそ、心を磨《みが》く事は何より大切。目指すは「穏やかな心〈謙虚《けんきょ》〉」「温かい心〈慈愛《じあい》〉」「広い心〈包容《ほうよう》〉」である。

日々の生活、日々の営みの中でそれを目指し行《ぎょう》じていくと、何時しかその心が作り上げられる。すると例え身は失っても心の衣を纏《まと》った魂は、「神の使い」にもなり、「この世の為」にもなり、「その力を個性として後の世にも発揮もできる」のである。

だからこそ、この世で先ずは身を守りつつ、心を磨く事こそ、真の命の発揮《はっき》なのである。

九月二十一日

人はこの世で、日々、人生修行をする。
先《ま》ずは己《おの》れの「幸福《こうふく》」を祈り、
他者の、「明福《めいふく》」を祈り、
亡き人の「冥福《めいふく》」を祈る。
あの世の人は、日々、「霊魂修行」をする。
先ずは己れの「霊福《れいふく》」を祈り、
この世の人の為に「幸福」を祈る。

九月二十二日

男よ、
女を侮《あなど》るな。
軽々《けいけい》に女に近付き、
軽々に、手を出してはならぬ。
増して暴力を振るってはならぬ。
それは全て、破滅《はめつ》の元である。

九月二十三日

女よ、
男を恐れるな。
軽々《けいけい》に男に従い、

軽々に、手を差し伸べてはならぬ。
それは全て、甘やかしの元である。

九月二十四日

人の提案に、先《ま》ずは否定から入る人が居る。
それはそれで意味のあることではあるが、
ただ「そんな事よりもっと別の大切な事が有る」と、
否定するのは最も無意味な否定である。
「その提案にどんな意図、どんな目的があるのか？」と、
先ずは尋《たず》ねるべき。
それが最も、意味のある否定となる筈《はず》である。

九月二十五日

その人がどういう人なのか、を知るには、
先《ま》ずその生まれた所を知る。
次に両親が、できれば序《つい》でに、両祖父母がどういう人なのか、を知る。
その上で、その人が何を目指しているのか、を知る。
そうすれば、その人がどういう人なのか、ほぼ判る。

九月二十六日

人との対立や争いの中で味わった、貴方の苦労は決して無駄にはならない。
その道々、相手も傷付いたろうが、貴方もそれ以上に傷付いた。
だが、そこで学んだ事を次に活《い》かせば、傷は決して無駄にはならない。
それは今後の貴方の人生が、証明してくれるだろう。

ただそれには、その相手を労《いたわ》る事、許す事。自身を反省する事が必要。
それができれば、貴方は一層成長する。
それは、大きな収穫《しゅうかく》なのだ。

九月二十七日

世の争いは、エゴとエゴのぶつかり合い。
そこに、反省もなく許しもなければ、とどのつまりは、戦争になる。
如何《いか》にエゴを押さえ、如何に捨てるか。平和はそこに掛かっている。
エゴを捨てるには、祈りの心しかない。
同時に、仲裁者《ちゅうさいしゃ》の意見を聞き入れるしかない。

九月二十八日

人には、親が有る。その人となりを知るのが、その人を理解する根本である。人には、信仰の有る人と無い人とが有る。それがその人を見極める入口である。

人には、金銭感覚《きんせんかんかく》の違いが有る。それが、交際が深まるか離れていくか、の分かれ道である。

九月二十九日

忙《せわ》しい日々にも、「気休め」を忘れまい。時には「胃休め」も…。
忙しい日々にも、「骨休め」を忘れまい。時には、「羽《はね》休め」も…。
人は休んでこそ、次の一歩が出せるもの。

九月三十日

徐々に進める冬への準備。秋とはそんな一時《ひととき》。
寒さへの衣服の準備、暖房の準備。
同時に、人生冬の時代にも、心の準備。

Kaoru.

十月一日

少年よ、大志《たいし》を抱《いだ》こう。
壮年よ、苦境《くきょう》に挑《いど》もう。
老年よ、怯《ひる》まず進もう。

十月二日

死は人生の最終ではあるが、
次の世に於いて、神の強い光の、そのまた分かれた微《かす》かな一条の光を目指す第一歩でもある。
その歩みは、予想以上に清々《すがすが》しく、清らかで力強いものである。
だから死を、必要以上に恐れ、嫌う必要はないのである。

十月三日

「それは、理想だ」、と簡単に否定する人よ。
そもそも理想は、一つ一つの実践から始まるものなのだ。
初めから、それを言ってはならない。

十月四日

主婦《シュフ》は、立派なシェフである。
何時《いつ》も、心の籠《こ》もった食事を作ってくれる。
時には、手抜きもあるが、代わりに愛が籠もっている…？

十月五日

主夫《シュフ》は、立派なチーフである。
何時《いつ》も、一家を纏《まと》め、行く先を示してくれる。
時には、失敗もあるが、代わりに体を張って守ってくれる…？

十月六日

学びは、
生きた人間から、学ぶが一番。
貴方の回りに居る、
生きた人間を大切に。

十月七日

世の中には、愚《おろ》か者、未熟者に見える人が居る。
が、侮《あなど》ってはならない。
彼らは意外に賢《かしこ》く、しっかり世渡《よわた》りをしている者が多い。
案外こっちが、
愚かで、未熟だったりするものだ。

十月八日

「なァに、時が来れば、何時《いつ》かは判るさ…」

とゆったり構えている人が居る。

が判った時は既に遅いことが多い。できればできるだけ早く、判りたい。

それには人の言葉を聞き、人の生《い》き様《ざま》から学びたい。書物から学ぶも大事

だが、先《ま》ずは身近な人の言葉を聞き、その言葉がどれ程その人の生き様と
一致《いっち》しているかを知ることだ…。
だが、そういう自分も、判ったのはかなり遅かったなァ…。

十月九日

自業自得《じごうじとく》、
という言葉程、厳《きび》しいものはない。
何より、それに気付いた時程、
恐ろしいものはない。

十月十日

ママが、ババになり、
パパが、ジジになる。
これ程、有《あ》り難《がた》い事が有るだろうか。

十月十一日

人は時折《ときおり》、人を非難《ひなん》し、口撃《こうげき》し、打ち負《ま》かそうとしたくなる生き物である。
だが人の悟《さと》りは、それをしなくなった時、来るらしい。
しかし人は常に、他からの非難口撃を受ける生き物である。だがそれにも
耳を傾けてやって欲しい。
それもまた、悟りに近付く事らしい…。

十月十二日

人は大きく二つに分けられる。

最終的に「全てを受け入れられる」人と、「全てを受け入れられない」人とである。

勿論《もちろん》初めは誰もが、受け入れたり、受け入れなかったりするが、次第に、「受け入れ」を広げる人と、広げない人とに分かれていく。

広げる事は、とても苦しく辛《つら》いが、敢《あ》えて続けて行くと、何時《いつ》しか受け入れ易くなる。が逆にそれをしないと、次第に「受け入れ」が狭くなってくる。

そして最後は、「全てを受け入れられる」人と、「全てを受け入れられない」人とにハッキリ分かれるのである。

十月十三日

考えるだけの人は、余り問題ない。
言うだけの人は、余り信用できない。
行動だけの人は、少し注意が必要。

十月十四日

他から、指示されるのを嫌う人は、「自分」が強過《つよす》ぎる人。
他に、指示するのを好む人は、「自分」が強過ぎる人。
共に、強過ぎてはいけない。

十月十五日

自由と平等は、相反《あいはん》する。
適度《てきど》の自由と平等は、もっと難しい。
その舵《かじ》を正しく取れるのが、良い政府。

十月十六日

自由は、社会の分断《ぶんだん》を呼び、
平等は、社会の活力を縛《しば》る。
どちらにしろ、社会の維持《いじ》は難しい。
それでも政府が無かったら国は存在できない。国が無ければ社会は消滅する。
先《ま》ずは、国を大切にする心…。

十月十七日

貴方は、常に「思いやりの心」を持っている。
それはとても尊い。
しかも、それを精一杯《せいいっぱい》、人に対して実践《じっせん》している。それがもっと尊い。
これからもずっと、その心を大切にして欲しい。
そんな貴方をずっと見守ってやりたい…。

十月十八日

「情無《じょうな》き者は、情に泣く」
の言葉がある。
だが情が全てではない。なまじ情を掛けて裏切《うらぎ》られ、誤解《ごかい》され、傷付く事
もある。

だが「情無き世は、何より寂しい世」。
そして、「情は人を豊かにし、人に生きる力を与える」ものでもある。
情を大切にしよう。情に泣かない人生の為にも…。

十月十九日

人生最後の喜び事は、必ず来る。
その時は大手を広げて迎え入れ、
全力を尽《つ》くして楽しみ、喜ぼう。
決して思いを残す事無く…。

十月二十日

貴方のキビキビした動きは、見ていて気持ちが良い。こんこんと湧《わ》き出る泉のようである。

人の生き様《いざま》とは、本来そういうもの。

悲しい時も辛《つら》い時も、キビキビ動けば人も自分も、「生きよう、生きていて良かった」と思うだろう。

ありがとう。

十月二十一日

他人《ひと》に迷惑《めいわく》を掛けなければそれで良い、という生き方をしている人が居る。

それはそれで立派だが、他人に迷惑を掛けることで学ぶ事もある。

悔恨《かいこん》と反省《はんせい》、そこから与えられる許しの有り難さも…。

十月二十二日

若者達よ。

世に出てみれば、苦しい事、辛《つら》い事が沢山《たくさん》あるだろう。

ただ負けてはならない。意地《いじ》でも耐え、生き抜いて欲しい。

仮に逃げても、結局別の所で味わう事になる、もっと厳《きび》しい試練を…。

何とか耐えてさえいれば、きっと苦しいより楽しく、辛いより面白くなる時が来る。

それは初め希望という、地味《じみ》な衣装でやってくる。更に耐えれば、喜びという輝かしい衣装が与えられるだろう。

そして人生振り返ってみれば、それが誇らしい栄誉《えいよ》となるだろう。

十月二十三日

人は死ぬまでは、生きていかなければならない。
だから時には楽しく、ゆったりした日々を送ろう。
きっと、生きていて良かった、と思う事にも巡《めぐ》り会うだろう。

十月二十四日

先《ま》ず貶《けな》すのは、評論家。それが仕事だからだ。
だが普通の人は真似しない方が良い。
人を貶すと、すぐ自分に返ってくる。
貶す前に、先ず良い処《ところ》を探そう、見付けよう。

十月二十五日

先《ま》ずは、褒《ほ》めよう。
人には、良い処《ところ》が、一杯《いっぱい》有る。
自分の及《およ》ばぬ、良い処が…。

十月二十六日

道は、何時《いつ》も二つある。
どちらを選ぶか、
全ては、日々の祈りの積み重ねが、決める。

十月二十七日

時代は変わる。
生活様式も変わる。
だが、幾《いく》らＩＴ時代になろうが、ＡＩ時代が来ようが、
「祈り」だけは変わらない。
所詮、人間最後にできるのは、祈る事だけである…。

十月二十八日

何もできない、と思う時がある。
そんな時こそ、
若きは挑戦《ちょうせん》。
老いは終活《しゅうかつ》。

十月二十九日

苦しい時こそ、
蓄《たくわ》えた力を放出《ほうしゅつ》しよう。
苦しい時こそ、
新たな力を身に付けるチャンス。

十月三十日

不安の先に、祈《いの》りあり。
祈りの先に、光《ひか》りあり。

十月三十一日

先《ま》ず反対するは野党。それが仕事だからだ。野で生きるには、反抗の気が欠かせない。先ず提案するは与党。それが仕事だからだ。その上、世の中を守るには、先ず与えなければならない。それが仕事だからだ。

ただ、与え続けていると、世は衰《おとろ》える。

時には、与えない事も大切なのだ。

美謝口神
Kaoru.

十一月一日

枯れ葉が、落ちる。
強い日差しに耐え、働きずくめだった青葉。
次は、大地の肥《こ》やしになる。
人の一生も、また同じ。
枯れ葉に、ねぎらいと感謝を…。

十一月二日

剛情《ごうじょう》の、ゴの濁点を削《けず》れば、向上《こうじょう》を得《え》、
辛抱《しんぼう》のシを重ねれば、人望《じんぼう》を得る。

十一月三日

この世にはどうしても「魔《ま》」というものがある。それはできる限り避《さ》けたい。この世には、その「魔」を持つ人が居る。これはできる限り避けたい。これを「魔性の人」という。

それには、日々祈る事。

それも、地域の神に。次いで、自分の「大先祖」〈それは、顔も見たことも無い、名前すら良く知らない、しかしずっと代々自分の血に繋《つな》がっている先祖。しかも信仰があり、世の為人の為に尽《つ》くした先祖〉に…。

十一月四日

夫婦の、最後の麗《うるわ》しい姿とは、
夫は、老妻《ろうさい》を労《いたわ》り、
妻は、老夫《ろうふ》を励《はげ》ます姿である。

十一月五日

「夫婦揃《そろ》って孫《まご》を見る」
これがこの世の、形の上での最高の幸《しあわ》せか…？
でも、それができない人よ、諦《あきら》めるな。貴方には、もっと素晴らしい幸せが、
来るだろう。この世に居る限り、この世を豊かにしようとする限り、身の
回りの人と仲良くする限り…。

十一月六日

「絶望《ぜつぼう》」から這《は》い出せるのは、「希望」の力。
例え実らなくても、例え無理だと判っても「希望」を持とう。
それは必ず、「絶望」の淵から、救ってくれる。
例え細い糸のような「希望」でも…。

十一月七日

人生は命燃え尽《つ》きるまで生き続けなければならない。だから人生は修行。
それは、この世に生きる者、皆同じ。
だから、人は皆平等。

十一月八日

真心《まごころ》とは、孫心《まごごころ》に似ている。
祖父母が、孫を愛《いと》おしむよう。
孫が、祖父母を慕《した》うよう…。
そんな心が、人を温《あた》ため、
人に生きる力を与える。

十一月九日

一度身が不自由になれば、
今まで、何の苦も無くできた事はまるで軽業師《かるわざし》のよう、魔術師《まじゅつし》のようだった、と、悲しくも懐《なつ》かしく思う事だろう。
だからこそ、今できる我が技《わざ》に、

例え日常の誰もができる技であっても、
心からの感謝で、その技を使おう…。

十一月十日

真の宗教家とは、己《おの》れの信ずる神や仏の尊さを説くは勿論《もちろん》だが、先《ま》ずは人の心に、如何《いか》に平安を与え、この世に如何に平和を齎《もたら》すか、を忘れてはならない。しかも、その努力をも忘れてはならない。

だから自《みずか》ら、争いの種を播《ま》く事など、決してしてはならない。

それは至難《しなん》の業《わざ》でも、例え微力《びりょく》でも、その実現に努力しなければならない。

人の心に平安を与え、世に平和を齎すは神の御心だからである。

それには、衆《しゅう》の力を頼《たの》むも一つの方法。だが先ずは自分の心を平安にし、例えたった一人でも、平和を齎す行動を起こす事から始めたい。

十一月十一日

私の一生。
誰にも責任転嫁《せきにんてんか》できない私の一生。
選択と決断の連続だった、私の一生。
間違いもあった、行き過ぎもあった。
だが誰の責任にもしない、私の一生。

十一月十二日

人間誰しも、
自分は、もっともっと生きられると思っている。
だが…。

十一月十三日

この世で最も美しいもの、
それは真剣に祈る人の横顔。
特に若い女性の、少し俯《うつむ》き加減《かげん》の横顔。
是非《ぜひ》とも、願いが叶《かな》って欲しい、
そう願わずにはいられない美しさ…。

十一月十四日

この世は結局《けっきょく》、自分の持てる力で生きていくより他はない。
抵抗力《ていこうりょく》、免疫力《めんえきりょく》、忍耐力《にんたいりょく》…。
勿論《もちろん》他からの力、医学の力、金の力もある。
が最後は自分の力しか無いのだ…。
だが、しかしそれでも、神々への祈りを忘れてはならない。
自分の力を高める為にも、次の世で生きていく為にも。

十一月十五日

不安の時こそ、祈りと信念。
先《ま》ずは祈る。
その内、力が満ちてくる。

生きようという思いが強くなってくる。
それが信念である。

十一月十六日

辛《つら》くて、人間止《や》めたくても、
息が止まらない内は、生きていくより他はない。
なァーに、その内に嫌でもお迎えが来るサ。
慌《あわ》てて死ぬ事など、全く無いんだ！

十一月十七日

頼んだ事が実らなくても、
その人を恨《うら》むな。
要は、自分では、できなかったのだから。

十一月十八日

人からの恵《めぐ》みは、
求めないのに与えられた時こそ、
有り難いと、思うものである。
神の恵みとは、そういうものである。

十一月十九日

道を歩く一歩一歩が、人生。
軽く歩くのも人生だが、
一歩一歩踏《ふ》み締《し》めて歩くのも、また人生。

十一月二十日

小さな一つ一つに、心を込める…。
目の前の一段一段に、力を込めて上る…。
この息の一瞬一瞬に、命を込めて呼吸する…。
なかなかできない事だが、例え一日でも、それをしたい。
それが本気の生活、本気の人生。
そして本気の悟《さと》り…。

十一月二十一日

老欲《ろうよく》を去る。
これが長生きをした人の、
人生最後の修行。

十一月二十二日

祈りは、場所ではない。
祈りは、式次第でもない。
祈りは姿でもない。形でもない。
ひたすら祈る事なのだ。

十一月二十三日

あの部屋で、自分を待っていてくれる人が居る…。
これ程の幸《しあわ》せがあるだろうか。
何処《どこ》かで、自分を見守ってくれている神さんが居る…。
これ程の有り難さがあるだろうか。

十一月二十四日

一つ一つ磨《みが》きながら、
一つ一つ捨《す》てていく。
一つ一つ確《たし》かめながら、
一つ一つ委《ゆだ》ねていく。
それが人生終盤《しゅうばん》の、務《つと》め。

十一月二十五日

全てを受け入れる、とは、

何もかも我慢《がまん》して受け入れる、というのではない。

先《ま》ずは人の非難《ひなん》を、次には襲《おそ》い来る不幸《ふこう》を、最後は避《さ》けられない宿命《しゅくめい》を、

一つ一つ納得《なっとく》しながら、得心《とくしん》しながら受け入れていく。

勿論《もちろん》初めは誰もが取捨選択《しゅしゃせんたく》し、嫌なものは避け、受け入れないものは拒否《きょひ》するが、もしその中に一つでも心に残るものがあったとすれば、先ずは心に留め、何度か復唱《ふくしょう》してみよう。すると何時《いつ》しかそれが心に響き、気が付くと自分の言葉になっている…。

それを更に続けていくと、人の言葉の良さが見えて来《き》、何の拘《こだわ》りも無く、受け入れているのである。

するとそれが次を導《みちび》く力となって、襲い来る不幸も、避けられない宿命も、受け入れられるようになるのである。

十一月二十六日

全てを許す、とは、
先《ま》ずは全てを受け入れる事から始まるが、それを許す段階へと進むには、大きな存在の力を頂《いただ》かなければならない。

それには信仰による自己修練《じこしゅうれん》が必要だが、その第一歩は、相手の未熟《みじゅく》を己《おの》が未熟、相手の驕《おご》りを己が驕り、相手の過《あやま》ちを己が過ちと受け止める事である。

つまり、相手の姿を己が姿と見、重ね合わせる事。するとそこに共感が生まれ、親しみが生まれ、遂《つい》には許すに至るのである。

すると不思議な事に、同時に相手にも反省が、気付きが、更に成長が起こる。

まさにその同時性が、真の許しなのである。

それができれば、相手に限らず、襲《おそ》い来る不幸《ふこう》も、避《さ》けられない宿命《しゅくめい》も、全て許せるようになるのである。

十一月二十七日

全てを委《ゆだ》ねる、とは、全てを受け入れる事に始まり、全てを許した後、進み得る段階である。

だから、初めから全てを委ねる事は有り得ず、有れば単なる依頼《いらい》、勝手な依存《いそん》である。

つまり全てを委ねるとは、己《おの》れを完全に無にする事であり、それは大きな存在と一体になる事である。

そしてその時初めて、「誰に」でもなく、「何に」でもなく、「大きな流れのようなもの」に身を任《まか》せる気持ちになるのである。

それが、全てを委ねる、という事である。

十一月二十八日

「もうイイ！」「もうイヤ！」「もうダメ！」

の言葉はできるだけ言わないようにしたい。

それで全てが止まり、終わってしまうから。

例え苦しくても、次に進む為、明日を迎える為、誰かの為にも、続けて行きたい！

これからは「もう」、は止めて、「さあ」にしよう。

十一月二十九日

困難《こんなん》な日々にも、一歩一歩前に！

それが、「一日一進」。

一日が済めば、明日は必ず来る。

明日が来れば、道は必ず開けてゆく。

十一月三十日

人と人との関係は、日々変わっていく。

昨日まで仲良かった二人が今日は別れる。その反対もある。

そんな中、人は何を大切にしていくか。

それは、今ふと思い出せる人、今言葉を交わし合える人、今見詰め合える人、を大切に…。

同時に、別れた人々も大切に。

別れた人も大きな恵《めぐ》みをくれたのだ、
そう思おう。

Kaoru.

十二月一日

冬は乾期《カンキ》、何より部屋の換気《カンキ》が大切。
換気は寒気《カンキ》を呼ぶが、体細胞は歓喜《カンキ》する。
部屋の掃除《そうじ》は、何より清潔《せいけつ》を呼ぶが、
清潔は清気《セイキ》を呼び、体細胞は精気《セイキ》を蘇《よみがえ》らせる。

十二月二日

一年が終わる。アッという間。
人生も、また同じ。
兎《と》も角《かく》、日々を大切に…。
兎も角、巡《めぐ》り会った人々を大切に…。
兎も角、この手に残ったものを大切に…。

十二月三日

苦難は、何時《いつ》襲《おそ》ってくるか判らない。
ただ備《そな》えは大切だ。
どんな苦難にも耐えていくぞ、という心の備え。
それにも増して、
苦難を、より少なく済《す》ませる為の、日々の祈り。

十二月四日

振り返ると、嗚呼《ああ》、あの時が人生の華《はな》だったなァ、と気付く。
だがその最中にある者には、判《わか》らない。
だからこそ、今を大切に…。
今こそが、貴方の人生の華かも…？

十二月五日

人が、「迷《まよ》いや苦しみ」から脱《ぬ》け出るには、我慢《がまん》したり諦《あきら》めたり、敢《あ》えて忘れたり、気にしないようにしたりするが、それでは真の克服《こくふく》にはならない。

それには、その都度《つど》「悟《さと》」らなければならない。悟りとは「これで良い」と心の底から納得《なっとく》する事であり、それで一歩前に進めるのである。

だがそこで一度《ひとたび》悟っても、「それで完了」ではない。迷いや苦しみは次々と襲《おそ》って来《き》、悟った筈《はず》の「悟り」もまた、次々と崩《くず》れていくからである。

しかも、悟りは頭の中でだけでなく、日々の生活の中で、しかも身近な人々との関係の中で為《な》されなければ意味を為さないものであり、しっかり悟らないとすぐ回りから崩され、一歩も前に進めなくなるからである。つまり悟りは生き抜く為のものであり、生きている限り止《や》められないものなのである。

中には、悟りなどどっちでも良い、今は忙《せわ》しくてそんな事考えている暇《ひま》は無い、と思う人は多い。がそれは単に逃げているだけ。何時《いつ》かは愈々《いよいよ》迷いの渦《うず》に呑《の》み込まれ、その深みに嵌《は》まっていくのである。だからそこから抜け出し、そこを乗り越えるには、「悟りを求めての旅」の継続が大切。それは筋肉の鍛錬《たんれん》と同じ。一度休めばすぐ衰《おとろ》える。だから「この迷いと苦しみから抜け出るにはどうしたら良いか？」を常に思い、その解答を求め続けるのである。それは苦しく辛い修行だが、その内きっと答えが出、それに納得し、次の一歩を踏み出せるようになる。それを更に続けて行くと、悟りは速くなり、その質は愈々高くなり、遂には「真の悟りの境地《きょうち》」へと入るのである。

十二月六日

愛する事は、
辛《つら》い事、厳《きび》しい事。
終わりの無い事…。
でも愛には、喜びもある。実りもある。

十二月七日

苦しい時こそ、神頼《かみだの》み。
それは決して、間違ってはいない。
困った時は先《ま》ず祈る。そして、その祈りをずっと続ける。
すると何時《いつ》の日か、神頼みは、神祈りとなって、真の祈り、正しい祈りとなっていく。

人はその時、真実、神と繋《つな》がる。

十二月八日

この世で最も嬉しい事は、愛する人との、心の深まり。
最も辛《つら》い事は、愛する人との別れ。
この世で最も有り難い事は、神さんが、居てくれる事。
そして、その神さんと心通《かよ》い合えるという事。別れが無いという事。

十二月九日

人と人とが共に生きて行く、それはなかなか難しい。すぐに争いが起き、別れを考える。

それは自然な事でもあるが、別れは辛《つら》い。

避《さ》ける方法は無いものか、有るには有る。

唯一有るとすれば、可能な限り相手を受け入れ、相手を許し、相手に委《ゆだ》ねる事である。

それは大層難しい事ではあるが、

それでも、孤独を避け、人と人とが共に生きていけるは、実に貴重な事なのである。

十二月十日

健康の根本は、心の健康、である。
体の健康は持って生まれたものがあり、完全な健康は幾《いく》ら求めても限りがある。
しかし心の健康は、求めさえすれば限り無く完全に、近付けるのだ。

十二月十一日

心の健康は、先《ま》ずは「祈りの継続、許しの訓練、委《ゆだ》ねの実践」である。
それによって心は鍛《きた》えられ、磨《みが》かれる。
心が常に平安、常に他を穏やかに受け入れられる、それが健康な心である。

十二月十二日

心の病は、先《ま》ずは「不安」。次いで「焦燥《しょうそう》〈いらだち〉」。そして「激怒《げきど》」。
これから逃れるには、「祈りの心」、「不動の心」、「悟《さと》りの心」を常に心掛け、
少しずつ身に付けるしかない。がそれら病は常に襲《おそ》ってくる。
それには常に、心を鍛錬《たんれん》するしかない。
逞《たくま》しい筋肉を得るには、日々の鍛錬しか無いように…。

十二月十三日

辛《つら》いことが有っても、諦《あきら》めない。
神さんは、見ていないようでも、
必ず見ていてくれる。
そう信ずる処《ところ》から、

道は開き始める、必ず…。

十二月十四日

人の一生は長いようで短い。が、短いようでも色々な事は有り、その一つ一つは重く意味が有って、人生は長かったようにも思える。が、ふとまた振り返り見れば、やはり人生は短い、の思いが募《つの》る。

それはやはり、人は少しでも長く生きたいと思う生き物だからだ。それは生への執着《しゅうちゃく》と言うより、生きる事への生真面目《きまじめ》さ、前向きの心がある証拠《しょうこ》なのだ。

短いと思うからこそ、今日の一日に力を尽《つ》くす。

そう、だから、この尊い一日を大切に、前向きに生きて行かなければならない。

十二月十五日

人には生きている限り、沢山の障害《しょうがい》が生じ付き纏《まと》う。生まれながらのもの、生まれてから生ずるもの、突然襲《おそ》って来るものも有る。がそれ以外にも人が社会と関わると、色々な生活上の不便、係争、障害、犯罪が生ずる。そこには地球規模の気候変動・環境問題・流行病等もあれば、もっと身近な暴力貧困・性犯罪・性的マイノリティ、夫婦別姓等々、数え上げたら切りは無いが、これらを乗り越えるには自助努力もさることながら、家族友人知人の共助、更には国や地方の公的機関の公助が不可欠で、そこで法律が必要となる。

その為各種団体が結成され政治に働き掛けるが、各政党の思想信条の違いが有ってなかなか纏まらない。遂には政治闘争《とうそう》にまで発展し、時には政争の具とされ、何ら成果を見ない侭《まま》放置されてしまうものも有る。

それが世の中だと言ってしまえばそれまでだが、ただ一つ忘れてならないのは、他人の「障害」が何時《いつ》、何時《なんどき》我が事になるかもしれない、人の苦しみが何時《いつ》、何時《なんどき》我が事になるかもしれない、という恐ろしい事実である。だから法律制定に携わる者は常にその事に心し、当事者・関係者・専門家の意見を聞きつつ議論を尽くし、そこで一応纏まりを得たならば、ひとまず思想信条は譲り合ってでも、必要な法律をしっかり早く定めたいものである。仮にその後に問題が生じたら、再び議論を尽くし改正すれば良いのである…。但し、それらが一時の盛り上がりだけで、また思惑がらみの過激な主義主張に押されてのものだったら、元に戻す冷静さも必要である。例えば我が先人達が、あれだけ時間を掛けやっと獲得した「参政権」も、今の投票率を見れば、一体何だったのかと思う面は有るものの、しかしそれ故に今の政治が成り立っている事を思うと、やはり法律制定は大切な事ではある。

ともあれ常に冷静に、常に謙虚に、常に歴史を省《かえり》みながら、法を定めて欲しいものである。

十二月十六日

平和な共存共栄は、人類の悲願だが、長い歴史を見れば、それがどんなに困難な事か思い知らされる、一体何故だろう。

それはそもそも、人が存在し繁栄しようとするからである。人が生きようとし、栄えようとするには、他から奪《うば》う事が避《さ》けられない。当然そこに、争いが起こり、戦いになる。

それは人類の悲しい性《さが》であり、業《ごう》でもある。

そこで人類の知恵は「仲裁《ちゅうさい》」を生《う》む。しかしそれは、双方の我慢に依って成り立つものであり、そこには必ず不満が残る。同時に、仲裁そのものが権力を持つと、そこからまた次の争いが起こる。

それを止めるには、平和の杜の教え、「全てを受け入れ、全てを許し、全てを委《ゆだ》ね」なければならないが、それは大層難しい。何でそれをしなければ

ばいけない？　そんな事は決してできない、と言ってしまえばそれまでで、
そこから先へは進まない。
するとそこからまた、争い、戦いが始まる。
確かに「争い、戦い」には何かの意味があり、何かの教えはあるが、必ず
血を見る事になる。
何とも悲しい事ではあるが…。

十二月十七日

平和な共存共栄を実現させるには、「愛《あい》」と「清貧《せいひん》」、もしくは「仁《じん》」と「知足《ちそく》〈足るを知る〉」が必要、更には「禁欲の意志と努力」「全てを『空《くう》』と究《きわ》める悟《さと》り」が欠かせない、などと説く諸々の教えがある。が、それは至難の業。誰にもできる事ではない。

ではそもそも宗教に、それを実現させる力が有るのだろうか？　無いとしたら全ては為すが侭《まま》、なるが侭にしておくのが良いのだろうか。

だがそれでも、宗教の力を信じたい。

例え限界《げんかい》が有るとしても、イヤ限界が有るからこそ、それら教えに導かれ、平和な共存共栄の実現を目指そうではないか。

十二月十八日

争いと戦いが起きた時、三つの対応がある。

一つは、我が身が滅ぼうが、滅ぼされようが徹底的に争い戦う。

一つは、どんな批判を受けようが、持っているもの全てを失おうが、逃げてしまう。

もう一つは、全てを受け入れ、全てを許し、全てを委《ゆだ》ねるか、である。

貴方はどの道を選ぶだろうか…？

ただどの道を選んでも、厳《きび》しく辛《つら》い次の道が待っている。

がそれでも人は、生きている限り、その道を歩かなければならない。ひたすら、次の争いと戦いが起きぬ事を念じながら…。

十二月十九日

生きている時は、精一杯生き、
命が終わる時まで、生き続け、生き抜ける。
それが人生。
それが命を授《さず》かった者の使命《しめい》。

十二月二十日

人生最後に、
もう、これで良い…。
イヤ、もう少し生きたい…。
イヤイヤ、やはりこのくらいで、良いだろう…。
やはり、そんな処《ところ》で終わる気がする…？

十二月二十一日

我《われ》、六歳にして学《がく》に志《こころざ》し、二十二歳にして学《まな》び終《お》えしより、職に就《つ》きては、ただ一筋《ひとすじ》に神仕《かみづか》えの道に勤《いそ》しみ励《はげ》めども、三十歳にして立つ〈身に付く〉は、「生来《せいらい》のワガママ」のみ。

増して四十歳にして、不惑《ふわく》どころか惑《まど》いは深《ふか》まり、以後ひたすら進むは老化のみ。

そして今や、七十五歳にしてでき得《う》るは、我が名を漢字で書き、過《あやま》たず九九を唱《とな》え、英語で名を問われれば、「マイネーム、イズ〇〇」と、答え得るのみ。しかし、これから先、それも維持《いじ》できるかどうかおぼつかず。

我、七十有余歳にして学び得たのは、ただただ「人生、アッという間」の一語のみ。

若き人よ、我が轍《てつ》を踏む事なく、心して日々精進《しょうじん》するを切望す…。

十二月二十二日

夜明け前が、
一番寒い。
苦境《くきょう》開《あ》けこそ、
要注意！

十二月二十三日

困難《こんなん》な道も、　必ず開く。
先《ま》ずは忍耐《にんたい》、
そして祈り。
人の英智《えいち》は、　限り無い。

十二月二十四日

日本人にとって、
今や民間行事になったクリスマスイブは不思議な行事である。
宗教的なものより、寒さの中で、正月を前の多忙な年末の中で、何か心
温《あたた》まるものを求めたくなる、何か人との交わり《まじ》を求めたくなる、
そんな思いを、この行事が満《み》たしてくれる、そんな気がするからだろうか。
多分それは愛の力…？
愛したくなる、愛されたくなる。そんな力が、人の心を動かすからだろう
か…？

十二月二十五日

その人の力量《りきりょう》は、
それまでどれだけ苦労し、どれだけ耐えてきたか、その量に掛かっている。
苦労は、買ってでもしろ、の言葉が思い出される。
苦労最中の貴方よ、
ガンバレ、ガンバレ！

十二月二十六日

人の価値は、その人の過去の蓄積《ちくせき》に有る。
同時に、今何ができるかに掛かっている。
が、歳と共にその蓄積は消え、今できることも少なくなる。
だがそうであっても、それは何処《どこ》かで、誰かに引き継がれ、次の価値を生んでいく。
だからこそ、その人の過去を尊び、今できている事を称《たた》えてやるのが、人の道である。
互いに、尊重《そんちょう》し合い、助け合い、許し合う…。
人間だからこそできる事である。

十二月二十七日

何年生きたか、が問題ではない。
何を残したか、が問題ではない。
何よりの問題は、
人に、何をしてやれたか、である。

十二月二十八日

先《ま》ずは、この世に生まれ出られた事に感謝。
次に、両親を初め、ご先祖達と縁《えにし》を結べた事に感謝。
更に、この世の天地自然と、心深き人達と繋《つな》がりを持てた事に感謝。
最後に、導きを頂き、お力を頂いた神々に、心から感謝。

十二月二十九日

ボケてからでは遅いから、
今の内に、言っておく。
沢山《たくさん》の、「ごめん！」、
沢山の、「ありがとう！」。

十二月三十日

何時かは、別れの時が来る。
だから、先に言っておく。
皆さん、ありがとう。
皆さん、お幸《しあわ》せに…。

十二月三十一日

心清《きよ》く、志《こころざし》高く、
ただ一筋の神仕《かみづか》え。
残す言葉は、ただ一つ。
神の尊さ、有り難さ…。

あとがき

読み終えてみると、「まえがき」に書いた通り、二番煎じの感は拭えない。もっと体系的、もっと理論的なものをと意気込んで取り組んだ筈なのに、相変わらず断片的心情的なものが多く、思想の太い幹のようなものが見えてこない。元々それが無いのか弱いのかだが、それでは「教えの書」としては物足りず、人の信念信条になり難《がた》い。人の心を強固なものにしてこそ「教え」の意味があるからである。

だが、だがである。その強固なものこそ一方で人の心を縛り、常識を越えた行動へと人を動かすものでもある。勿論それでこそ宗教的教えが、人に大きな力を与え人を導く訳だが、一歩間違うと人を狂わせ、問題を引き起こす原因ともなる。この世に起こる悲劇の根本には、何故か強固で偏頗《へんぱ》な宗教的教えがあるものである。これはその説き方にも問題はあるが、要は教えそのものに偏《かたよ》りがあるからである。

それは宗教が「絶対」を説くからである。絶対とは、「これしかない」「これが最高だ」と決め付ける事であり、だから「それ以外はダメ」「それ以外は価値が無い」と切り捨てる事である。とかく宗教的教えはその殆どが、これを絶対と信じて説かれてはいるが、この世に「絶対」というものはあり得ない。イヤ無い方が良い。そもそも人が同時に大勢で住み、国が同時に多数存在する事自体、その営みは多様で相対的で、それを強いて一つに纏めること自体に無理がある。

だが教えは一つに纏めざるを得ず、ある種の絶対を強調せざるを得ないものである。政治体制や、各種の組織などもそれと似ている。だがその根本的な無理は何時かは問題を引き起こし、矛盾を生じ、絶対そのものが崩壊せざるを得ない時が来る。だがそれでも、絶対を求める者は後を絶たず、それに応える形で、次なる絶対を説く者が現れる。それは宗教家や為政者に多いが一般の人にも多く、とかく地位や権力を得た者に多い。それは人が本能的に持つ「人を支配したくなる欲求」に基づいているからで、これを避けるには「絶対を求めない、絶対を認めない」教えが必要で、同時に「許しと感謝を説き続ける」教えが不可欠である。その実践は至難の業だが、そうしない限り、「絶対」は次々と生じ、必ず争いを起こし、最後は破壊破滅で終わるのである。

この「平和の杜の教え」の根本は神道思想であるが、神道では「絶対」は説かない。全ては多様、全ては「相対」である。相対とは「これもあり、あれもあり、あれも良いがこれも良い」とする教えであり、同時に「あれもこれも共に満たす道は無いものか」と常に考える教えの事である。それは一見曖昧で不統一だが、それ故にこそ「許しが生じ、感謝が生ずる」のである。神道は、天地自然の恵みを神々の恵みと捉え、その感謝を祭りとして表現し、その中で更なる恵みを祈る信仰である。そこで初めて、曖昧とは統一へと向かうのである。

確かに「絶対」を説く教えにも許しや感謝は有るが、結局はそれも絶対の許し、絶対の感謝が求められるものであり、実に難しい事である。何故なら人は、他からの力を貰わないと立ち行かない存在でありながら、それを己れの力だけで何とかなると思い込む生き物であり、一ッ時無理矢理許しや感謝の念を持っても、長続きしない生き物だからである。要は自然に生じた許しであり、感謝で無ければ結局は偽善になってしまうのである。

だが「イヤ教えは人に決断を促しその根拠となるもの、絶対の無い教えは迷いを深めるだけで、却って人を迷わす」と言う人も居る。確かにそれはそれで意味が有る。実際「相対の教え」は無制限の多様化を招き、混乱と不統一を引き起こし、人の身勝手を助長する恐れさえある。だから絶対を否定する訳ではなく、それをも受け入れそれをも検討しつつ決断するのが、正しい「相対」である。ただ神道は、それら決断を日々の祈りの中で行い、最後は神々に委ねる祭りの中で実践される教えであり、何より日常を大切にし、祈り、祭りの積み重ねの中で実らせる教えなのである。

しかしそうは言っても、教えはあくまでも決断への助言に過ぎず、最後はその人の決断である。そしてその責任もまたその人が取るものである。だからその結果を教えの所為にしてはならず、仮にも神々の所為にしてはならない。それが真の自立というものである。要はその決断に至るまで、如何に多くの考え、如何に多くの助言を受け入れたか、そして最後は如何に謙虚に神に委ねたか、が大切なのである…。

以上色々述べたが、読後何より気になったのは、「これら文章に綺麗事が多過ぎないか」の反省である。実際現実の社会や人の日常は、もっと深刻、もっと切実なもので、それを一旦文章化すると妙に美化され、何処か綺麗事に収まってしまう恐れがある。例えば記念写真のように、全てが目出度く、悩みや苦しみなど微塵も無いかのように見られては、人の心を動かす教えとはならない。そもそも人の悩みや苦しみを救う筈の教えが、単なる綺麗事で終わったなら、世に示す意味が無い事になる。

そこで、自分としては常に自戒している事がある。

それは、論語にある、

「朝《あした》に道を聞かば〈悟れば〉、夕べに死しても可なり」の言葉であり、

もう一つは、これを「死地に赴《おもむ》く兵士の覚悟で書く」の決意である…。

ともあれ、それがどれだけの結果を齎《もたら》したかは甚《はなは》だ不安だが、そんな思いで

これを書いた事だけは、是非判って貰いたい。もしそうして貰えたら、これ以上の喜びは無く、この「続々」を敢えて書いた意味が、出てくるというものである。

兎も角読んで頂きたい、イヤ読み続けて頂けたら、どんなに嬉しい事か。心からお願いする次第である。

令和五年十一月二十五日

秋の稔りの祭りを終えた日に

高原玄承

平和《へいわ》の杜《もり》「行《ぎょう》」

一、日行《にちぎょう》（現處《げんしょ》にて）

（一）初拝《しょはい》……天地四方拝《てんちしほうはい》

（一）奉読《ほうどく》……平和《へいわ》の杜祝詞《もりのりと》

（一）結拝《けっぱい》……一切感謝拝《いっさいかんしゃはい》

一、人行《じんぎょう》（霊處《れいしょ》にて）

※冥處不入《めいしょふにゅう》

（一）身浄《しんじょう》

- 息吹《いぶき》
  - 木《もく》、火《か》、土《ど》、金《こん》、水《すい》
  - 天《てん》、地《ち》、人《じん》
  - 陰《いん》、陽《よう》、太極《たいきょく》
- 三壇《さんだん》
  - 神道祓壇《しんとうはらえだん》（天地人《てんちじん》）
  - 神道火壇《しんとうかだん》（一切浄火《いっさいじょうか》）
  - 神道水壇《しんとうすいだん》（一切水浄《いっさいすいじょう》）

（一）心浄《しんじょう》……穏《おだ》やかな心《こころ》（謙虚《けんきょ》）
温《あたた》かい心《こころ》（慈愛《じあい》）
広《ひろ》い心《こころ》（包容《ほうよう》）

（一）魂浄《こんじょう》……神《かむ》清《きよ》め（神水《しんすい》）
神《かむ》高《たか》め（日神《にっしん》）
神《かむ》鎮《しず》め（月神《げっしん》）

一、神行《しんぎょう》（神處《しんしょ》にて）

（一）神座《しんざ》……神仰《かみあお》ぎ、神学《かみまね》び、神合《かみあ》う

（一）神念《しんねん》……己《おの》れを捨《す》て、他《た》を慈《いつく》しみ、神《かみ》に仕《つか》える

（一）神光《しんこう》……高《たか》めの光《ひかり》、鎮《しず》めの光《ひかり》、清《きよ》めの光《ひかり》

謝辞

この本は、原稿の編集・挿画用写真をニュースコムの山本心平氏に又一部挿画用写真を中山和彦氏に、挿画を村松薫画伯にお願いし、出版をアスパラ社にお願いして、出来上がったものである。

全ては、老齢非力な著者の不足分を各氏のご尽力により補い助けて頂いた結果であるが、これで、ささやかな「一日一進、三部作」が完成した訳で、その文章内容はともあれ、我が長年の念願が叶った事が何より嬉しい。

この本に関わってくれた全ての人に、心より感謝、申し上げる次第である。

高原 玄承（たかはら げんしょう）

昭和22年(1947)生まれ。
甲斐奈神社宮司(昭和45年～令和2年)。
現同社名誉宮司。
平和の杜(宗教・文化事業支援)主宰。
著書は『祓の研究』『祭式要述』『大祓詞について』
『平和の杜の教え 一日一進』
『平和の杜の教え 続一日一進』など。
近著に小説『身延線、ものがたり』(紀 智之名義)、
エッセイ集『宮守の記 或る神主のひとりごと』がある。

平和の杜の教え　続々 一日一進

2023年12月1日　発行

著　者　高原　玄承
発行者　向山　美和子
発行所　(株)アスパラ社
〒409-3867 山梨県中巨摩郡昭和町清水新居102-6
電話　055-231-1133
編　集　(株)ニュースコム
印刷所　シナノ書籍印刷(株)

ISBN978-4-910674-07-0
落丁・乱丁本はお取替えいたします。定価はカバーに表示してあります。